靜思語

第一集

《公元二〇〇〇年新版序》

讀書可以醫俗，行善可以淑世

——寫在《靜思語》改版發行之前

⊙釋證嚴

發行已逾十年的《靜思語》，就要以嶄新的面貌和讀者見面了。雖然是新壺舊水，但面貌一新，也未嘗不是一件賞心悅目的事。

古人說：「讀書可以醫俗，作詩可以遣懷。」可見讀書之用也，大矣！其實，讀書何僅止於「醫俗」，讀書還可豁人耳目，沁人心脾；更可陶冶性靈，啓人心智。因此，讀書如交友，讀好書如結交良師益友，終身可以享用不盡，受益無窮。

雖然如此，誠如孔子所說的：「法語之言，能無從乎？改之爲貴。巽與之言，能無說乎？繹之爲貴。說而不繹，從而不改，吾末如之何也。」意思是說：「正言告誡的話，能不誠心聽從嗎？聽從而能改，才是最爲可貴；婉言相勸的話，能不欣然接受嗎？接受而能深體微言大義，才是最爲可貴。如果能欣然接受，卻不能深體微言大義；能誠心聽從，卻不能改過遷善，那我就無可如何了！」所以讀書之可貴處，在於能發揮書中微言大義的影響力，而能否發揮書中微言大義的影響力，就要看閱讀的人對於「法語之言」能否「從而改之」，對於「巽與之語」能否「說而繹之」了。

時序即將邁入西元兩千年，正當大家期待著千禧年的來臨時，我們也期待著改版的《靜思語》早日出版。在過去的十年裡，承蒙不棄，《靜思語》除了中文版外，也發行了英文版、日文版、德文版、印尼文版與簡體字版，目前冊數已逾七十萬冊了，其間，「慈濟教師聯誼會」的老師們更從中發展出「靜思語教學」，使許多小朋友對《靜思語》的好話琅琅上口，進而拳拳服膺，以致能夠影響全家，發揮《靜思語》的大用，這是證嚴最爲欣慰，也最應感激的。

證嚴要向十年前參與編輯的高信疆先生及編輯群敬致最誠摯的謝意，如果十年前沒有高先生及編輯群的努力，《靜思語》就不會廣爲流通；正當《靜思語》改版在即之際，證嚴也要向九歌出版社致上最誠摯的謝意，如果十年前沒有九歌出版社的慨允出版，就沒有今日《靜思語》的嶄新裝扮；如果十年前沒有九歌出版社的大力推介，就沒有十年來《靜思語》的大用之用。因此，儘管現在《靜思語》由慈濟文化出版社重新改版發行，但「法語之言」與「巽與之語」並無兩樣。好書不厭百回讀，能受用的書就是好書。把好書推荐給親朋好友，亦是功德一樁。衷心希望面目一新的《靜思語》，能夠和更多的讀者續結善緣。讀書可以醫俗，行善可以淑世，祝福大家用讀好書，行善事，充實深邃的心靈，彩繪亮麗的一生。

目錄

【下卷】答人間問——《人事篇》

【附錄】

靜思晨語【上卷】

・第一篇・《說時間》

現在就是最好的時機

【做人的開始】

每一天都是做人的開始，每一個時刻都是自己的警惕。

【時間成就一切】

時間可以造就人格，可以成就事業，也可以儲積功德。

【時日莫空過】

一個人在世間做了多少事，就等於壽命有多長。因此，必須與時日競爭，切莫使時日空過。

【爲善競爭】

人生要為善競爭，分秒必爭。

【蒙蔽的自由】

人常在什麼都可以自由自在的時候，卻被這種隨心所欲的自由蒙蔽，虛擲時光而毫無覺知。

【時間如鑽石】

時間對一個有智慧的人而言，就如鑽石般珍貴；但對愚人來說，卻像是一把泥土，一點價值也沒有。

【生命在呼吸間】

佛陀說：「生命在呼吸間。」人無法管住自己的生命，更無法擋住死期，讓自己永住人間。既然生命去來這麼無常，我們更應該好好地愛惜它、利用它、充實它，讓這無常、寶貴的生命，散發它真善美的光輝，映照出生命真正的價值。

【是否發揮了良能？】

人間壽命因為短暫，才更顯得珍貴。難得來一趟人間，應問是否為人間發揮了自己的良能，而不要一味求長壽。

【行善要及時】

行善要及時，功德要持續。如燒開水一般，未燒開之前千萬不要停熄火候，否則重來就太費事了。

【時間無法遮擋】

怕時間消逝，花了許多心血，想盡各式方法要遮擋時間，結果是：浪費了更多時間，且一無所成！

【停滯不前，終無所得】

人都迷於尋找奇蹟，因而停滯不前；縱使時間再多、路再長，也了無用處，終無所得。

「充分利用生命」

一個人幾十年的生命，真正做人做事的時間實在很少，再勤勞的人也只做了三分之一而已。

「不當睡中人」

平常無所事事，讓時間空過，人生就會在懈怠、睡眠中慢慢地墮落，良知良能也就這樣睡了一輩子——如此的生命，只能叫做「睡中人」。

【用毅力安排人生】

用智慧探討人生真義，用毅力安排人生時間。

【自我掌握時空】

聖人與凡夫的境界，最大的差異在於聖人可以自我掌握時空。

【前腳走，後腳放】

人命非常短暫，所以要加緊腳步快速前進，不可拖泥帶水；切勿前腳已經落地了，後腳還不肯放開。「前腳走，後腳放」意即：昨天的事就讓它過去，把心神專注於今天該做的事。

【不執著過去】

一直停滯在昨天、過去，就會產生雜念和執著顧戀之心。人一旦時時刻刻回憶往事，便會痛苦、怨恨、瞋怒、不甘心……。

【守住當下】

不論在人間付出多少心血、多少辛苦，切莫將心念停留於過去的成就；不論施人多少，亦莫討人情、求報酬。過去的留不住，未來的難預測，守住現在，當下即是。

【謹守本分】

未來的是妄想，過去的是雜念。要保護此時此刻的愛心，謹守自己當下的本分。

【有歷練的強打者】

人生不一定球球是好球，但是有歷練的強打者，隨時都可以揮棒。

・第二篇・《點燃我們的心燈》

如月・如鏡・如水

【心如明月】

心要像明月一樣，有水就有月；心也要像天空一樣，雲開見青天。

【用心觀、用心聽】

用寧靜的心態，觀大地眾生相，聽大地眾生聲。

【境轉心不轉】

心如明鏡。雖然外在景物不斷轉變，但鏡面卻不轉動，此即境轉而心不轉。若心隨境動轉不息，則人我是非皆成昏擾，不能自已。

【鏡子的良能】

鏡子，是用來鑒照物體影像的；但必須鏡、物相離，方能清澈映照。若物體貼鏡或塵封鏡面，即使景物在前，亦難清楚映照。

【心如明鏡】

人心如一面鏡子，照山是山，照水是水；因塵世懵懂，浮塵所染而面目全非。

【點燃心燈】

有人點燈求光明，其實真正的光明在我們心裡。佛前的燈不必刻意去點，要緊的是點燃我們的心燈。

【遠離人我是非】

人之「心思」如鏡。欲求得智慧、明辨事理，必須遠離人我是非煩惱，此即「當局者迷，旁觀者清」的道理。

【保持開朗的心念】

人的心念意境，如能時常保持開朗清明，則展現於周遭的環境，都將是美而善的。

【人心似水】

人心要像水一樣，看似綿軟柔弱，卻涵力源源，不能切斷。

【播下好種子】

人的心地就像一畝田，若沒有播下好的種子，也長不出好的果實來。

【天堂和地獄】

天堂和地獄，都是由心和行為所造作。我們不要怕地獄，要怕的是心的偏向。

【心正邪不侵】

心無邪思，意無邪念，則常自在；心正邪不侵。

【時時好心，時時好日】

時時好心就是時時好日；心中時時保持正念，任何時間、方位都是吉祥的。

【心志守持於道】

心志若能守持於道，必能精深博大；否則，即使透徹千經萬論，亦如空花水月，一事無成。

【心無定性】

三心二意無定性，四處徘徊不專精，儘管條條道路通長安，卻永遠無法到達終點！

【散亂的心】

人心的散亂有兩種：一是昏沈，一是浮動。昏沈是糊里糊塗空過時日，無所事事渙散體力，懈怠、懶惰、昏睡、不肯精進……。浮動是心念不定、見異思遷、搖擺不止、浮沈、動盪、放逸、無法安靜……。

【多用心】

要用心，不要操心、煩心。

【患得患失】

眾生都有心病，擁有的人煩惱「失」，沒有的人憂慮「得」；患得患失，即成憂愁。

【心病難治】

身體的病較好治療，怕的是心病；有了心病，行、住、坐、臥都不得安寧，渾身不得自在，甚而吃不下、睡不著……。

【以佛心看人】

以佛心看人，周遭遍地人人皆是佛；以鬼心看人，則處處都是猙獰的鬼影。

【心無掛礙】

身若一無所有，則心一無掛礙——沒有得失的牽絆、沒有物質的積累，心靈自然沒有掛礙。這是聖者安住的境界，也是學佛者所求的境界。

【凡夫心】

所謂凡夫心，即有過去、現在、未來之分別心。

【斷貪】

凡夫就是喜歡追求神奇鬼怪，心才會亂。其實修心很簡單，只要「斷貪」——哪一個人心亂不是為了貪？

【佛心清澈無礙】

心、佛、眾生其實沒有差別，佛並沒有比我們多一隻手、多一隻腳，所差別的只是佛心清澈無礙，真如自在；而凡夫心因有世俗塵埃染著，看不清真實的面貌。佛心又像保險箱一樣，保管貴重的東西不讓它遺失；而凡夫心卻如垃圾場，有害無益的東西積存一大堆，使自己痛苦不已。

有色彩的心

眾生心即凡夫心，也就是有污染、有色彩的心，色彩抹淨即現佛性。

・第三篇・《關於慈悲》

傷在他的身・痛在我的心

【寬容與悲憫】

悲即是同情心。能互相寬諒、容忍，表現一分寬心、愛心，即是悲心。最幸福的人生，就是能寬容與悲憫一切眾生的人生。

【喜捨得歡喜】

沒有數字的代價，即為「無量」。不辭勞苦的付出，便是「大慈悲」。付出勞力又服務得很歡喜，便叫做「喜捨」。

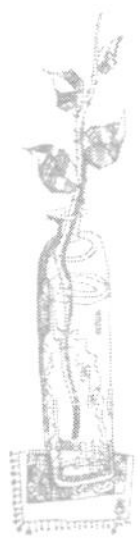

【予樂拔苦】

慈悲喜捨這四個字，分開而言：慈喜是予樂，是教富；而悲捨是拔苦，是濟貧。

【清淨的大愛】

慈就是愛，是清淨的大愛。「無緣大慈」，是指沒有污染的愛：他與我雖然非親非故，而我卻能愛他；愛得他快樂，我也沒煩惱，這就是清淨的大愛。

【同體大悲】

眾生雖與我非親非故，但是他的苦就是我的苦，他的痛就是我的痛。苦在他的身，憂在我的心；傷在他的身，痛在我的心。這就是「同體大悲」。

【以愛心仁德爲體】

佛陀講慈悲，是以愛心仁德為體，以誠正和睦為用。

【慈悲形象化】

把慈悲形象化，付諸具體的行動。

【慈眼視眾生】

要慈眼視眾生，把無形化作有形，把理論化成行動，時時刻刻拿出一分「我們不去救他，誰去救他」的大慈大悲濟助精神，能如此，塵世亦可成為淨土。

【悲智雙運】

慈悲是救世的泉源，但無智不成大悲。有智慧才能發揮無窮的毅力與慈悲，此即佛法中的「悲智雙運」。

【眞正的智慧】

真正的妙法是：以智慧流露出來的方法；真正的慈悲是：以智慧的力量去推動濟世志業的心願。

【一日菩薩】

能救人的人就叫做菩薩。把握一日的付出，即是一日的菩薩。

【化無形為有形】

菩薩精神永遠融入眾生的精神。要讓菩薩精神永遠存在這個世界，不能只有理論，必須有實質的表現；慈悲與願力是理論，服務眾生的工作是實質的表現。我們要把無形的慈悲化為有形、堅固、永遠的工作。

035

第三篇 傷在他的身・痛在我的心

・第四篇・《開啓「智慧」，播「善」種》

清淨的蓮花

【心中的蓮花】

每個人的心中都有一朵清淨的蓮花，都有無量的智慧——把良知、良能啓發出來，則福慧果報無量！

【自覺與自性】

佛陀在人間，無非是要教導眾生自覺與佛同等的智慧，也要教導眾生與佛有同樣的自性，都能修持慈悲與智慧。

【戒定慧】

學佛必須遵守佛陀教育我們的三個原則：戒、定、慧。戒是生活行動的宗旨，用來教誡我們不做壞事；行為不發生差錯，心就有定力，精神就會統一，如此就可產生智慧。

【有情眾生】

有智慧的人，即是覺悟後的有情眾生。

【學佛要學定】

心有定力，智慧自然產生。人常為外境所影響，即是定力不夠，學佛即是要學定。「定」用現代語講，就是莊敬自強。

【聰明與智慧】

聰明不一定有智慧，但是智慧一定包括聰明；聰明只是一種計量利弊得失的能力，貪婪詭詐也是聰明的象徵。

【得失與捨得】

聰明的人得失心重，有智慧的人則勇於捨得。

【能捨就能得】

同樣一個「得」字，有「捨得」，也有「得失」，兩種心境完全不同。有智慧的人能捨，能「捨」就能「得」，得到無限的快樂；不能「捨」的人就會有「失」，失去心境的安寧。

【不經一事，不長一智】

不經一事，不長一智。智慧是從人與事之間磨練出來的，若逃避現實，離開人與事，便無從產生智慧。

【福慧雙修】

能付出愛心就是福，能消除煩惱就是慧。

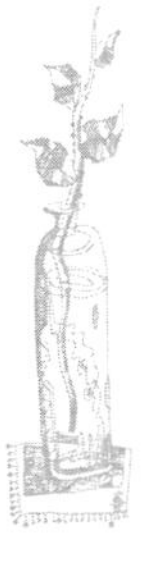

【雙手萬能】

智慧與煩惱，好像手心與手背。其實二者都在同一隻手上，但手背無法拿東西，若反過來用手心，則雙手萬能。

【一念之間】

善是利益，惡是損害。一念之非即種惡因，一念之是即得善果。

【日日行善】

心田要多播善種，多一粒善的種子，就可減少一枝雜草。土地不耕種，雜草必叢生。所以，行善要日日行、時時行、不斷去行。哪怕只是舉手投足，也要存一分善念。

【盡本分，做好事】

做好事並不是為求名，也不是為求功德。抱著「盡本分」的心去做好事，才是真正的好事，才是至誠無私的善事。

【沒有分別心】

善字的意思是適度、剛剛好。不偏不倚、不極端、不會愛得太過分，也不會產生怨恨心。在人與人之間，沒有不平等的分別心——對自己所愛的人，能以智慧斷除佔有的感情；對自己不愛或不投緣的人，則能盡量善解，以好的心念去對待。

045

第四篇　清淨的蓮花

・第五篇・《邁入人格昇華的境界》

無染的愛

【愛！最有價值】

人生什麼最有價值？就是愛。把犧牲當作享受，能夠付出愛心的人，永遠都很快樂，而且活得有意義。

【幸福的人】

有力量去愛人或被愛的人都是幸福的人。

【不要封閉自己】

不要封閉自己。你要先去愛別人，別人才會愛你。

【自愛愛人】

人要自愛，才能愛普天下的人。

【愛人寬一寸】

待人退一步，愛人寬一寸，在人生道中就會活得很快樂。

【大智要若愚】

倘能以愛待人、以慈對人，就不會惹禍傷身。所以做人應該吃點虧，做個大智若愚的人。

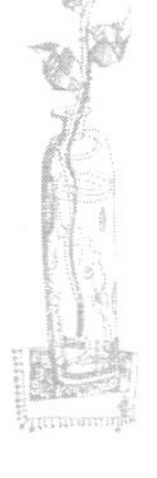

【柔和的心】

把氣憤的心境轉換為柔和，把柔和的心境再轉換為愛，如此，這個世界將日益完美。

【人人皆可布施】

布施不是有錢人的專利品，而是一分虔誠的愛心。

【人性的真善美】

人生最悲哀的感受，莫過於「人有眷屬，唯我獨無」。因此，菩薩道行者說：「你們看待世間一切眾生，應該把年老者當作自己的父母去孝敬他；年齡與己相近者，就當作兄弟姊妹去敬愛他；年齡比較幼小的，則當作自己的子女一般去愛護他……」這是人性中最高潔、最真、最善、最美的愛。

【無煩惱的愛】

愛，決不能夾雜著煩惱，因為有煩惱就會有污染。

【愛，不要想回收】

要培養一分清淨無染的愛。在感情上不要有得失心，不要想回收，就不會有煩惱。

【無所求的愛】

有所求的愛，是無法永久存在的。能夠永久存在的，是那分無形、無染且無求的愛。

【對子女要放心】

父母過分愛子女的心力，會反射成為子女的煩惱。對子女要放心，他們才能安心。

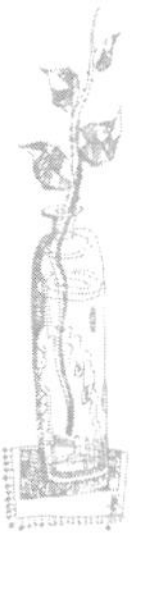

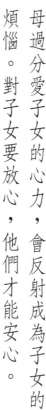

【愛要濃淡合宜】

清茶淡香，既可口又提神；若是太濃，則苦得喝不下。世間的情愛也是如此。

【不要沈迷愛欲】

愛，在人心中常覺得奇缺，常覺得飢渴難飽足，像餓鬼一樣。沈迷在愛欲中，將永遠沒辦法滿足。

【談長情，說大愛】

要談情，就必須談長情——覺悟的情；
要說愛，就必須說大愛——解脫的愛。

【大我的愛】

佛陀鼓勵我們要有大愛，要愛得透徹、愛得普遍，盡虛空遍法界，達到衝破自我，和合於大自然同體大我的愛。不要像泥濘一樣，有色彩、濕黏黏的。

【人人愛我，我愛人人】

擁有宗教思想的婦女，應把身心培養得像月光一樣慈悲柔和。擴大自己的心胸，燃起智慧之光，使每個人與你相處，都像沐浴在清涼的月光中，這樣才能達到「人人愛我，我愛人人」之愛的真諦，邁入人格昇華的境界。

第五篇　無染的愛

・第六篇・《謙虛、柔忍、爭與和》

飽滿的稻穗

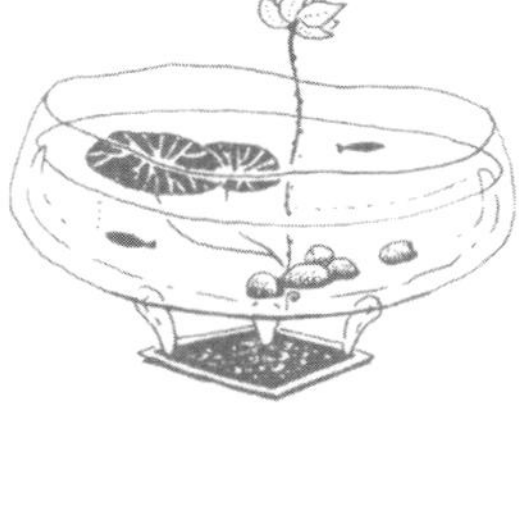

【飽滿的稻穗】

佛陀常常警惕弟子：即使已達智慧圓融，更應含蓄謙虛，像稻穗一樣，米粒愈飽滿垂得愈低。

【智慧人生】

真正的智慧人生，必定有誠意、謙虛的態度。有智慧才能分辨善惡邪正，能謙虛才能建立美滿人生。

【無我】

修行最主要的目標即是無我。若能縮小自己、放大心胸、包容一切、尊重別人，別人也一定會尊重你、接受你。

【尊重自己】

唯有尊重自己的人，才能勇於縮小自己。

【嵌在對方的心上】

縮小自己，要能縮到對方的眼睛裡、耳朵裡；既不傷他，還要能嵌在對方的心頭上。

【勇於擔當】

一粒細沙就扎到腳，一顆小石子就扎到心，面對事情當然就無法擔當。

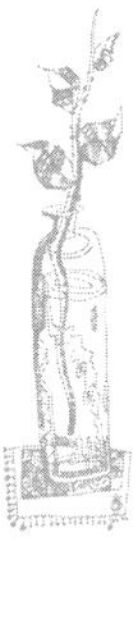

【看淡自己】

看淡自己是般若，看重自己是執著。

【忘我】

眾生有煩惱，是因為我執的關係。以「我」的自私心理為中心，不但使自己痛苦，也會影響周圍的人跟著痛苦。忘我，才能於修身養性中，造就健康、幸福的人生。

【不能低頭的人】

不能低頭的人，是因為一再回顧過去的成就。

【愛中有忍】

愛是人間的一分力量，但是只有愛還不夠，必須還要有個「忍」——忍辱、忍讓、忍耐，能忍則能安。

【受人歡迎的人】

要做個受人歡迎和被愛的人，必須先照顧好自我的聲和色。面容動作、言談舉止合宜得體，都是從日常生活中修養忍辱得來。

【忍耐和付出】

修行者的本分事是忍耐和付出，因為修養原是個人應有的行為。

【哪個人不苦？】

有錢也苦，沒錢也苦，閒也苦，忙也苦，世間有哪個人不苦呢？說苦是因為他不能堪忍！愈是不能堪忍的人，愈是痛苦。

【世界堪忍】

娑婆世界又譯成堪忍世界，意即要經得起磨練、能忍耐，才有辦法在世間自在地生存。

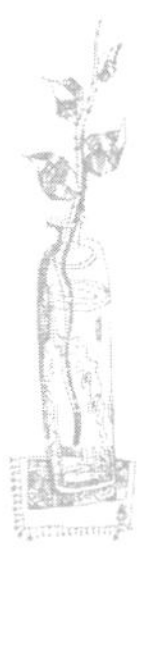

【忍而無忍】

忍不是最高的境界，能夠忍而無忍，才會覺得一切逆境都是很自然的事。

【寬柔待人】

做事，一定要秉持「誠」與「正」的原則；而待人，則要用「寬」與「柔」的態度。要以宗教者超然的形態，寬大的心胸來容納任何人。

【真正的聖人】

真正的聖人，既強又柔。他的強是柔中帶剛，剛中帶柔；柔能調伏眾生，剛能堅強己志。

【常行慈忍】

人人若能以「慈忍」施行於家庭和一切眾生，人間便會散發「透徹之愛」的光芒。

【爭是一個不安的字】

爭，只能「為善競爭」、「與時日競爭」——一旦爭的對象從自我投射到別人身上時，爭就成為一個很不安的字，也是一件很痛苦的事。

【傷害的因子】

競爭蘊藏了傷害的因子。只要有競爭，就有前後之分、上下之別、得失之念、取捨之難，世事也就不得安寧了。

【沒有眞正的贏家】

不爭的人，才能看清事實。爭了就亂了，亂了就犯錯，犯錯就容易失敗。要知道，普天之下，並沒有一個真正的贏家。

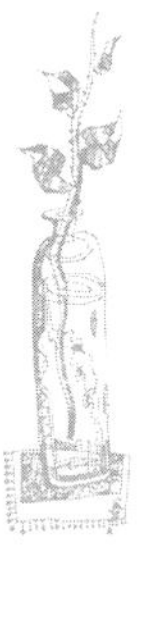

【心胸狹窄，處處障礙】

人們往往就是太執著，而有分別心。是你、是我，劃分得清清楚楚，以致對自己所愛的拚命去爭、去求、去嫉妒，因為心胸狹窄，所以處處都是障礙。

【眞正有功夫的人】

一般人常言：要爭這一口氣。其實真正有功夫的人，是把這口氣嚥下去。

【不爭面子】

培養好自己的氣質，不要爭面子，爭來的是假的，培養來的才是真的。

【人事皆安】

人，大多數有名利之心，與人爭、與事爭。如能與人無爭則人安，與事無爭則事安；人事皆無爭，則世界亦安。

【一字和】

能一字「和」則無往不利，無事不成。

【和則是非不生】

人能「和」，則是非不生。出世之事業能永垂不朽，亦源自一字「和」。

073

第六篇　飽滿的稻穗

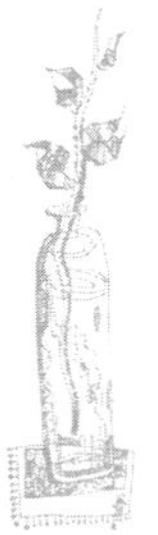

・第七篇・《「逆境」、「是非」觀》

「無明草」與「增上緣」

【持寬臨逆】

逆境、是非來臨，心中要持一「寬」字。

【人生的燈塔】

世間事要做得圓融並不容易，沒有歷經逆境的事，不值得作為我們人生的燈塔。

【逆增上緣】

逆境在佛教中稱為「逆增上緣」，碰到逆境時，應心生感激——可遇不可求啊！

【人事考驗】

人事的艱難與琢磨，就是一種考驗。就像一支劍要有磨刀石來磨，劍才會利；一塊璞玉要有粗石來磨，才會發出耀眼的光芒。

【靜心】

修行一定要經得起磨練，將混亂的心磨練成靜心，使自己在動的境界中不動心。

【永恆的功課】

修行，是分分秒秒、日日年年，永恆不已的功課。就如做事，亦要經過無數次的磨練。

【不要輕易被傷害】

要原諒一個無心傷害人的人，不能做一個輕易就被別人傷害的人。

【摒除己見】

人常困於己見。知音就是真理，不是知音就變成是非。

【看清自我】

人最難看得見的，就是自己——平日都是張著眼睛向外看，對別人秤斤論兩、説長道短，殊不知自己也在其中啊！如能跳脫開來，把自己也當成觀看的對象，事理才真能看得清、分得明。

【無疑】

對人有疑心，就無法愛人；對人有疑念，就無法原諒人；對人有疑惑，就無法相信人。

【相信別人】

多一分對他人的疑慮，就少一分對自己的信心；否定世間的一切，自己的信念也將隨之消失。

【寶貴的一課】

是非常教育，讚美作警惕；嫌棄當反省，錯誤作經驗——任何批評，都是寶貴的一課。

【感恩對方】

別人罵我、不諒解我、毀謗我，反而應生起一分感恩心，感恩對方給自己修行的境界。

【純正的心】

純正的心不怕別人毀謗，只要做得正、做得誠，別人的毀謗反而更能昇華自己的人格。

【善解是非】

非來變為是，惡來即成善，任何是非皆善解之，則無是非。聽到任何是非，要視為修行之增上緣，萬萬不可堆積在心中長無明草。

【去除習氣】

假如每個人都能把我慢、我執、無明去除，人與人之間就不會產生是非！

【活的大藏經】

要將是非當教育，不要將人事當是非。前者能將種種不順心的行為轉化為重組自我的利器，後者只會讓你覺得人生很痛苦。其實，每天的瑣碎事務都是活生生的大藏經。

・第八篇・

煩惱菩提

《自「貪欲」說起》

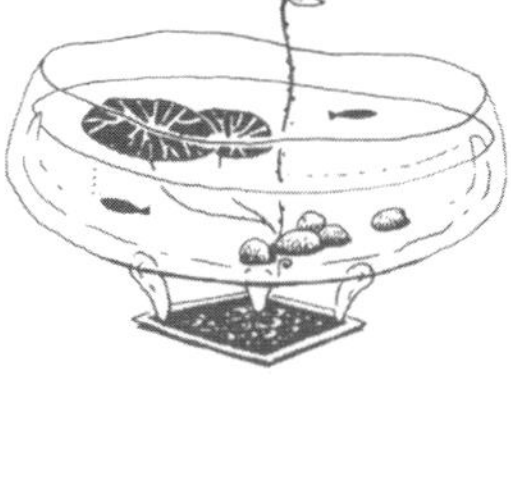

【去貪瞋癡】

世間之所以有人我、是非、內外、事理不能調和，皆源自「貪、瞋、癡」。有此三念，故爭長論短，永無休止。

【有得必有失】

欲深無底，貪無止盡。有求的意向，即有必得的心理；有求、有得的心理，就會有失的痛苦。

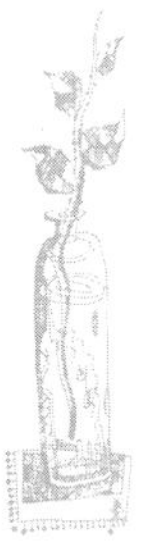

【填不平的洞】

世間的海可以填平，但是人的鼻下橫——小小一個嘴巴，卻永遠填不滿。

【多求多變】

多求也多變，多變也多生，多生也多滅。生生滅滅，日日年年。

【少欲少煩惱】

同樣是過一輩子，欲望大的人得花很大的氣力，才能滿足需求；而欲望淡薄的人，少欲少煩惱，便能安穩地終此一生。

【去貪就簡】

去貪就簡，可使心靈得到無比的寧靜與解脫。

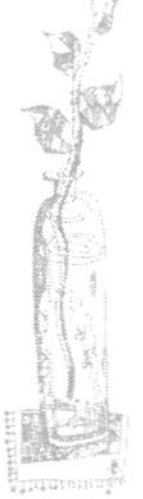

【以理性克制欲心】

道心亦即理性。欲念如果擴張下去，就會埋沒理性；理性如能發揚起來，就可以制止欲心。

【煩惱由心起】

所謂的煩惱，並非以人的生活物質作標準，而是以心境狀態來分別。人若不知足，就永遠處在煩惱中。

【苦惱凡夫】

人生的苦惱不分貧富貴賤皆有之。

【不知足煩惱多】

芸芸眾生，本來可以相處自在，過著和樂、安定的生活。但因「心無厭足」，為了多求，難免心起煩惱，增長惡業。

【有求是煩惱】

人都是求「有」，什麼叫「有」呢？有就是煩惱。

【別怕病痛】

不要把病痛看得太嚴重，心有煩惱，則無法解脫。

【視痛爲劫】

痛有兩個詞：一個是痛快，另一個是痛苦。面對痛苦時，要「痛快」，也就是視「痛」為「劫」。「痛」去「劫」消，則病痛反能帶來「劫後歸來」之快。

【重生】

死掉過去的煩惱心，生出今日解脫的境界。

【學習平常心】

要學得「平常心」。一個人若有平常心，則無論遇到任何環境及挫折，都能真正安然自在。了解世間的形象本就如此，自然不會害怕惶恐或憂愁苦惱。

【不要將人事當是非】

心如要常常保持快樂，就不要把人與事當成是非。有些人常常起煩惱——因為別人一句無心的話，他卻有意地接受。

【擴大心胸】

把心胸放開，自然就可斷除煩惱。為何人會有煩惱？是因為心胸狹窄，容納不了不喜歡或是比自己能幹的人。

【少發脾氣】

發脾氣對內對外都是煩惱，對內自己起煩惱，對外困擾他人。

【轉煩惱爲智慧】

透過煩惱轉成智慧，這個煩惱才有意義。

【人生如一本書】

將所有的病苦、困難或煩惱，當作人生最好的教育，也當作是人生另一種「再充電」。每天過日子，就像讀一本書一樣地掀開每頁紙；而每天所遇到的人事或煩惱，就是這頁紙上的一句銘言或一個警語。

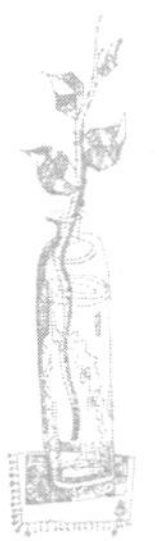

【塵境皆無性】

禪門中有一則公案，說明凡事擔心、害怕，是癡執的表現。

有一位禪師在打坐時，忽然出現一個境界——看見一個沒有頭的人，禪師當下說道：「無頭，頭不痛」，說罷境界隨即消失。過了一會兒，又出現一個沒有身體，只有頭和四肢的形相，禪師言：「無腹無心，不餓也不憂」，隨後境界又消失了。沒多久，又出現一個沒有腳的形相，禪師言：「無足不亂跑」，言罷境界全部消失。禪師因而悟到——「塵境皆無性」。

097

第八篇　煩惱菩提

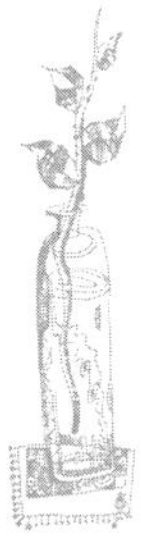

・第九篇・《解讀「幸福」與「財富」》

覺天地之廣闊

【福中之福】

人生的幸福沒有準則。能關心別人、愛護別人者，即是福中之福人。

【做個造福的人】

這世界總有比我們悲慘的人，能為人服務比被人服務有福。

【量大福就大】

多原諒人一次，就多造一次福。把量放大，福就大。

【最可愛也最可怕】

一生的罪與福，都是人自作的。最可怕的是人，最可愛的也是人。

【有願就有力】

有心就有福，有願就有力。

【自造福田】

自造福田，自得福緣。

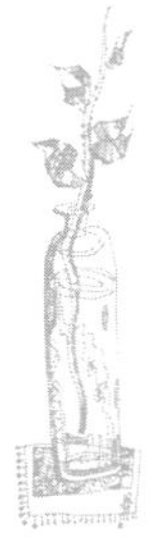

【苦盡甘來】

吃苦了苦，苦盡甘來；享福了福，福盡悲來。

【平安就是福】

求福壽倒不如求平安，平安就是添福壽。

【施比受有福】

施比受更有福。真正的快樂，是施捨出去後的那分清淨、安詳與喜悅。

【做個平常人】

最平常的人最富有。

【有價的東西】

世間物質的喜好只是一種潮流。太平年代金銀玉石是寶，而戰亂時期米糧衣布是寶。所以，世間所謂「有價」的東西，完全在於人心的潮流及虛榮的作祟。

【身外之物】

錢財本是身外物，身外之物當然就有聚散的時候；因此，有錢時不必得意，沒錢時也不必悲哀。

【人生終有聚散】

人生想得透徹一點，沒有一件東西可以永遠與我們為伴。再親愛的人、再多的財物，也終有離別聚散的時候。所以，又有什麼東西捨不得呢？

【覺天地之廣闊】

若能從物質的愛欲中跳脫出來，心自然天廣地闊，無限豐饒。

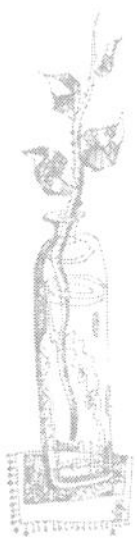

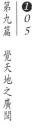

【助人最快樂】

並非有錢就是快樂，問心無愧心最安。能付出、助人、救人，最是快樂。

【追求眞理】

凡夫追求財物，聖人追求真理。

【一時的虛榮】

世間一切精巧物質——色相，只不過是滿足凡夫心的一時虛榮而已。

【成功之人】

不受貧賤擊敗挫傷的人，不因富貴驕奢慳吝的人，都是成功的人。

・第十篇・《言談聲色之間》

那麼輕，卻又那麼重

【聲色要輕柔】

人與人相處，都是以聲色互相對待。講話是聲，態度是色，因此與人講話要輕言細語，態度要微笑寬柔。

【說話要恰到好處】

一句不恰當的話，就會使人產生排斥的心。所以，話要講得恰到好處，多一句、少一句都不好。

【話語要謹慎委婉】

話語要謹慎委婉。面對知音，不必說得太明顯就懂；不是知音，說得再露骨也沒用。

【正確的教導】

教導別人也要分內與外。對外要柔，對內要正。

【你是好人嗎？】

脾氣、嘴巴不好，心地再好，也不能算是好人。

【聽懂話，說對話】

聽話、說話要完整，不要只揀前一句、後一句，合起來剛好尖尖的刺進人心，創傷也就不可彌補。

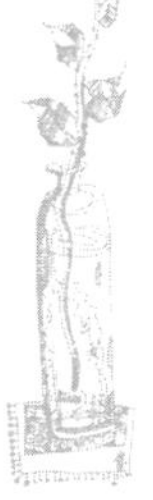

【善用自己的身體】

不要把能說話的嘴巴，用在搬弄是非、造口業；也不要把能行動的身體，用在吃喝玩樂、耽戀物欲。

【牢牢記住好話】

人間好話，要如海綿遇水般牢牢吸住；世間是非，要如水泥地般堅固，水過則乾。

【另一種修行】

面對惡言惡語，也是一種修行。

【不要壓到別人的心】

不要在人我是非中彼此摩擦。話語秤起來不重，但稍一不慎，卻會重重地壓到別人的心。反求諸己，我們也要自我訓練，不要輕易被別人的話軋傷。

【對人寬心，講話細心】

在日常生活中，要常常自我反省，緊記「對人要寬心，講話要細心」，如此必可化解「含毒」之心，圓融一切眾生。

【清醒的心】

內心平靜快樂，頭腦清醒，考慮事情就會清楚周全，說話就會得體。

【用清淨的心眼看人】

用清淨的心眼看人，就不會彼此碰撞。聲無形無量，色乃假相，不必拿聲、色來壓迫自己的心眼。

【善用耳根】

以清淨的耳根，接受清淨的語聲；以圓通的耳聞，吸收世間的善音。

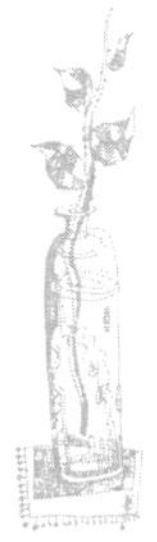

【一言爲重】

一言為重，千言無用。言重則信重，信重則有大用。

【人性之美貴】

人性之美，莫過於誠——誠為一切善法之源；人性之貴，莫過於信——信乃人生立世之本。

117

第十篇

那麼輕，卻又那麼重

・第十一篇・《靜思「懺悔」》

道德人心的第一課

【人要自我批判】

人因自覺而成長，因自滿而墮落。自我批判的認錯心理，是道德人心的第一課，也是人格昇華的階梯。

【不要隨便原諒自己】

人都是在原諒自己的那一分鐘開始懈怠，應時時自我警惕。

【美德與損德】

原諒別人是美德，原諒自己是損德。

【高尚的品格】

勇於承擔，是一分動人的力量；勇於承擔錯誤，則是一種高尚的品格。

【重新面對錯誤】

不能因為自己的錯誤，就不敢再碰同一件事情；反而應該修正錯誤，重新去面對它，好好把它完成。

【注意小習氣】

大錯誤容易反省，小習氣不易去除。

【心靈的告白】

懺悔是心靈的告白，也是精神污染的大掃除。

【如何莊嚴自己？】

一個人要怎樣才能莊嚴此生，自尊己靈呢？唯有二字：「慚恥」。

所謂的「慚」，就是犯錯了要趕快認錯，而且以後不會再犯，這才是真正有救的人。慚恥，就是有慚愧的心。

【人人皆有良知】

懺即「發露先惡」，悔即「改往修來」。人人皆有良知，能勇於面對現實、懺悔反省，始能自覺錯誤。若能進而坦誠告白，誓願改過，並力行正道，就能明心見性，清淨圓滿。

【懺悔得清淨】

凡夫眾生，孰能無過？吾人自懵懂無知而至體認世事，不論有心或無心之過錯，皆須懺悔。

懺悔則清淨，清淨則能去除煩惱。

【時時自我教育】

當一個人沒辦法自我教育時，也就無法再接受別人的教育，因為他的成長實已停止。

【慎防過失】

起心動念無不是業，開口動舌、舉手投足無不是罪。學佛應慎防過失，切莫覆藏罪惡。時時發露懺悔，改過自新，方得安然自在！

【常靜思反省】

人應常靜思反省，以撥開心靈的洄瀾，發掘智慧的泉源。則世出世間無一事不通，無一物不解。

・第十二篇・《成功、願力與持志》

一粒種子的力量

【專心一意】

人生有如高空走索，應專心一意往前看、向前走，不要回頭空懊惱。

【走對人生路】

人生這段路並不長，但卻不好走，因此必須步步謹慎，切莫迷了路，走錯了方向。

【調整自己的腳步】

年輕力壯時，可以一口氣往上衝；但衝力過猛，不免又筋疲力盡。於是走走停停，困頓繁勞，目標還在遠方。

【成功來自堅忍】

成功，是依靠堅忍的力量，潛蘊蓄積長期奮鬥而成就的果實；並非僅憑一點血氣或一時的衝勁而僥倖得來。

【堅定志向】

善用力氣的人，不疾不徐；善守理想的人，不猛不弛。一志向前、堅定不疑，終可達成目標。

【以願心改命】

命無定論，是很難理解的事。但是，命卻可由自己的願心來決定。

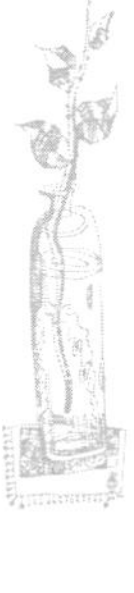

【內在的圓滿】

才華洋溢的人，一方面很容易達到目的，很快就獲得世俗的滿足；另一方面，卻因所求沒有止境，不易尋得內在的圓滿，才華反而成了自苦的根源。

【決心】

任何事都是從一個決心、一粒種子開始。

【志的可貴】

人窮，志不能窮；富有，志更要富。

【人生要有志向】

做人應有一分自己的志向、願心、趣味。人生如果沒有志向，即如握筆畫圖，不知要畫什麼？東塗西抹，終究不能畫出完整的圖形。

【人有無限可能】

不要小看自己，因為人有無限的可能。

【看重自己】

不要輕視自己的力量。世間善事沒有一項「做不成」，也沒有一個人「無能力」，有的只是「不肯做」而已！一滴水滴到水缸中，整缸水就是我們的，因為那滴水已和缸中的水結合在一起，分不出是你的或是別人的。

【水中泡影】

畫餅不能充飢，水中泡影不能串成項鍊。

【路是人走出來的】

路是人走出來的。千里之路，必須從第一步開始；聖人的境域，也是自凡夫起步。

【提得起，放得下】

要提起就完全提起，要放下就全心放下。

【菩薩人格】

菩薩的人格，必須由我們自己來完成。

【佛心無遠近】

佛心沒有遠近，人的願望也沒有大小。只要心誠意正，即可達到宏願。

【耕耘眾生心田】

願效法佛陀的精神，學做大農夫；耕耘天下眾生心田，化荒蕪成大福田。

【利濟眾生】

利濟眾生的事業，需具足三種力量：一是自力，二是佛力，三是眾緣平等力。

自力——以福慧因緣為自力。想得福緣要自種福因，自己播撒種子。

佛力——有了自力以後，再祈求佛陀慈力加被、慈光常照，願己心與佛心融匯一處。

眾緣平等力——佛與眾生本性平等。恭敬供養一切眾生的心，要與恭敬供養佛陀的心一樣。

【學佛如初】

發心容易，恆心難持；光說不練，無法體悟真理，實踐道法。唯有學佛如初，始能證悟成佛。

【恆心】

恆心早起，是鍛鍊殷勤不懈的功夫之一。

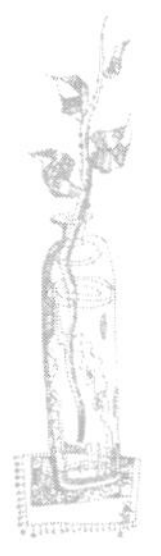

・第十三篇・《怎麼來寫「人」這個字》

在生命的白紙上

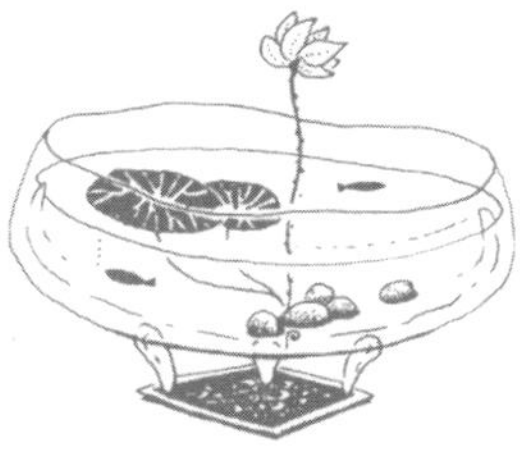

【遊戲人間的態度】

縱然是遊戲人間，也要端端正正，不要嘻嘻哈哈；要謹謹慎慎，不要唏哩嘩啦。

【眾生眾見】

有眾生相即有眾生見。

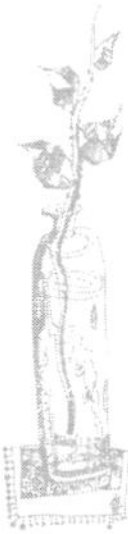

【生命中的白紙】

每天都是生命中的一張白紙，每一個人、每一件事都是一篇生動的文章。

【以大地為師】

大地宇宙間，沒有一項不是我們學習的對象，沒有一項不是佛法，也沒有一項不是修心的功夫。只要肯用心去想、用心去修、用心去做，就沒有不能成功的事。

【人不能離群】

人既然生在世間，就不能離開眾緣，修行也不能離群隱世。真正的解脫是在眾緣中付出而得，也是在眾緣的煩惱中解脫。

【欣賞他人】

欣賞他人，即是莊嚴自己。

【成佛的本性】

其實，人人都有成佛的本性。如能發現自身的本性，自然擁有平等心，也就不會有你我高下之分。

【心靈殘缺最苦】

人的身體有殘缺不算苦，人性的殘缺才是真正的苦。因為世間的災難禍害，大都是由手腳完好，但心靈殘缺的人所造成的。

【一理通，萬理徹】

一理通，萬理徹。如能了徹真理，知道路在哪裡、自己在做什麼，一切明明白白、清清朗朗，就能把握自己。最怕的是不知道「我」是什麼，才會徬徨、苦惱。

【理得心安】

要平安，得先心安；要心安，須先得理；理得心安，即闔家平安。

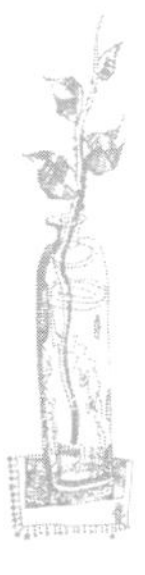

【三不靠】

做人要做到三不靠：一不靠權力，二不靠地位，三不靠金錢。

【熟讀未來的路】

道理是人生一條長遠的路，地理不熟就會走錯路。因此，今生今世要讀熟未來的地理學。

【端正自己】

我們要教化一切有情，必須先端正自己。眾生剛強，他們的心態千差萬別摸不透。只有一個方法可以感化他們：那就是「誠」與「正」，誠正可以降伏無量剛強的眾生。

【道德是明燈】

道德是提升自我的明燈，不是呵斥別人的鞭子。

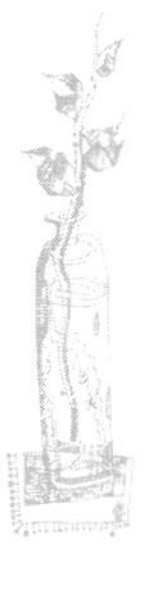

【做人要踏實】

做人要有踏實感，不要只有成就感。踏踏實實地做人，心中多舒服。

【無憾人生】

時，應分秒必爭；路，應步步踏實，此趟人生即無所愧憾。

【把握時機】

毋需抱怨世間人情澆薄、功利主義、好心沒好報等不公現象。其實，這正是讓我們有所作為的大好時機。

【如何自我昇華】

難行能行，難捨能捨，難為能為，才能昇華自我的人格。

【人格若成，佛格就成】

佛陀設教在人間，就是要教育眾生回歸真如本性，做個真正的人。所以說人格若成，佛格就成；人格若不成，又如何成佛呢？

【成佛之道】

世間苦，做人亦苦，但做人是成聖成佛唯一的道路。

【最難寫的人際關係】

人際關係是最難寫的一篇文章。唯有事事無我、無執，方能有所為。

【照顧身口意】

口說好話，心想好意，身行好事。

【文化如綠洲】

人們若少了文化，就如同處在烈日炎炎的沙漠中。有學識、文化，才有美好的綠洲。

【常起歡喜心】

大喜，就是時時刻刻都起歡喜心。喜是沒有嫉妒、驕慢、瞋恚的心。

【散發生命的光熱】

不要把陰影覆在心裡，要散發光和熱，生命才有意義。

【君子和小人】

太陽光大，父母恩大，君子量大，小人氣大。

【笑的表情】

笑是一種表情，皺眉也是一種表情；呵斥是出聲，說話也是出聲。但是笑比皺眉好看，說話比呵斥自然。

【轉個角度看世界】

轉一個角度來看世界，世界無限寬大；換一種立場來待人處事，人事無不輕安。

【道德觀的自由】

自由，在個人要有道德觀的約束；在社會應有法律加以規範。否則，就易於「野而無禮」；野則橫霸——力大、聲大、欲大、權大，縱情放行，心無閘欄，而「自由真義」反倒遁退難伸。

【培養眞功夫】

平時沒事對別人很好，這不是功夫；當發生事情時還能對別人好，才是真功夫。

第十三篇　在生命的白紙上

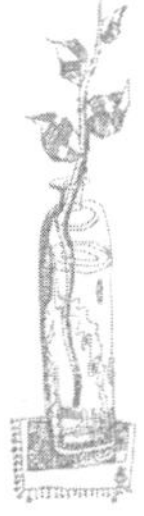

·第十四篇·《「做事」種種，「事理」種種》

工廠即道場

【工廠即道場】

工作就是運動，工廠即是道場。

【信心、毅力、勇氣】

信心、毅力、勇氣三者具備，則天下沒有做不成的事。

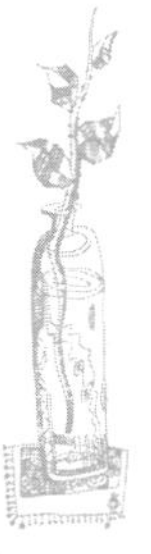

【克服難題】

盡人事、聽天命，不要把「難」放在心裡。人要克服難，不要被難克服了。

【從失敗中站起來】

人生最大的成就，是從失敗中站立起來。

【發揮勇猛心】

人應有捲起褲管下水的勇猛心。如果已經站在水中了，就不必擔心流汗或下雨。

【不要怕煩惱】

舉凡有事就有煩惱，若要做事，就必須先下決心——絕對不怕煩惱。若不怕煩惱，則任何困擾都可解決。

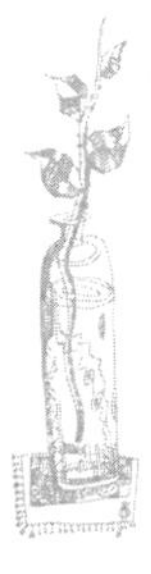

【念茲在茲】

所謂「念茲在茲」，即是手在工作時，心思就在手上；雙腳走路時，心念就在腳上；開口説話，精神就放在嘴上。

【星星之火可以燎原】

在日常生活中，凡事都要做好安全的準備，以防萬一。不要輕視風小、不要輕言火弱，因為星星之火可以燎原。

【才智和能力】

被人支配的人，是有能力的人；支配人的人，是有才智的人。

【人生無常】

人生無常！社會需要你，就必須趕快付出；今天走得動，就趕快起步走。

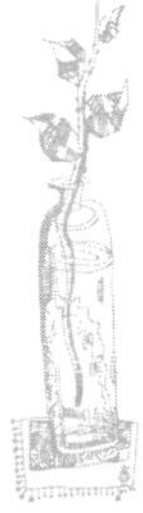

【人生好比爬坡】

人生好比爬坡。要找一個上好的目標，以短暫的人生朝這個目標邁進，中途不能懈怠。因為上坡時一旦鬆懈，就會倒退；也不能把目標設在峰頂上，因為一山比一山高。要選擇最佳、最適當的峰頂勇往直前，日積月累，最後功德成就才會大。

【把穩方向盤】

不要擔心載重，只要把穩方向盤，任何車都能開。當別人到達的同時，自己也到達了。

【不要抄捷徑】

不要走叉路、抄捷徑。因為所選擇的小路可能是條死巷、走不通，終究還是得回到原路，反而平白多繞了許多路。

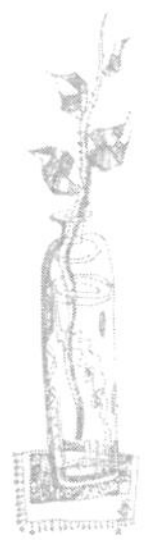

【無有二念】

無論做人、做事，都要抱持一顆「精進」心。精就是「不雜」，進就是「無退」。意即要做一件事，必須專心才能做得成，無有二念才會有進步。

【做才會進步】

社會的進步不是用喊出來的，是做出來的。

【不要懂理不懂事】

現代人世智辯聰、滿口論調，做起事來卻又斤斤計較。多數人只懂理不懂事——所知的道理很多，但碰到人與事時卻又無法調理，這就是凡夫心。

【爲正義而犧牲】

在正義之聲的呼喚下，願意犧牲者有多少呢？

【何謂眞理？】

何謂真理？理事配合，事理相融，即是真理。

【以理轉事】

事不能脫離它的「理」，以「理」為中心，諸「事」皆環繞在周圍。要以理來轉事，不是拿事來轉理。

【理圓事圓人圓】

理與事之間需要的是人，理圓、事圓則人圓。

【人多力量大】

天下的米一個人吃不完，天下的事一個人做不盡。同樣的，一個人也無法成就天下所有的功業。

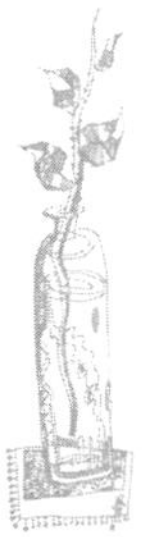

【守住原則】

凡事要守好自己的原則，不要牽強應酬；常去應酬，往往度不到對方，反而會被拖下水！

【做自己該做的事】

如果影響不了別人，就做自己該做的事吧！

【佛陀的三不能】

即使佛陀在世也有三不能：一、眾生定業不能轉，二、無緣眾生不能度，三、不能度盡一切眾生。

・第十五篇・《因緣、感恩與死生》

當一滴燭淚落下來

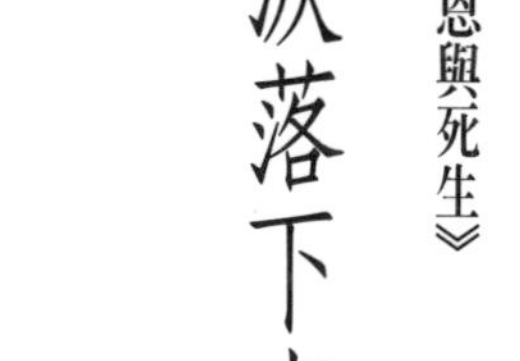

【只要找到路】

只要緣深，不怕緣來得遲；只要找到路，就不怕路遙遠。

【對機就是好】

凡事對機即是好。

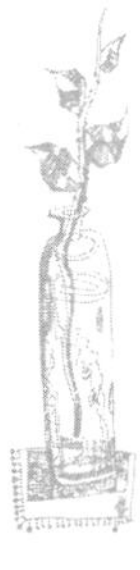

【及時播種】

我們若有純良的種子，一定要把握因緣時機種入土中，並且給予充足的陽光、水分、土壤和空氣，才能順利成長。

【不要空過因緣】

有願放在心裡，沒有身體力行，正如耕田而不播種，皆是空過因緣。

【不要錯失良機】

再好的機會、福報，如不能把握因緣，就會稍縱即逝！

【充分使用物命】

一件東西能充分使用時，就會突顯它生命價值的存在；如不加以愛護惜用而任意毀壞丟棄，就如同扼殺了它的生命。

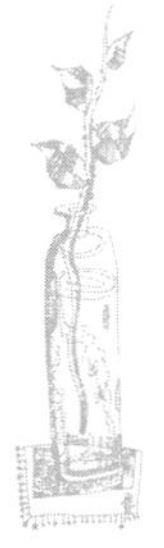

【人生如舞臺】

人生如舞臺。定業來時，會演出令人料想不到的另一齣戲。

【活得心安意足】

人生在世，一切物質只是讓我們在日常生活中方便利行。因此，對物要心存感恩、愛惜及知足。如此，生活在人間就會處處感到心安意足，時時覺得歡喜快樂。

【不要辜負一切眾生】

每天要感謝父母與眾生，一生所作不要辜負父母與眾生。

【感恩付出】

一個人面臨絕境時，還能心存感恩很是難得。永保感恩心付出的人，比較不會陷入絕境。

【有心才能點燃】

一支蠟燭如果沒有心，就不能燃燒；即使有心，也要點燃才有意義。雖然點燃的蠟燭會有淚，但總比沒有點燃的好。

【膚的力量】

一滴燭淚落下來，立刻就會被一層凝結的薄膜止住；因為天地間自有一種撫慰的力量，這種力量叫做「膚」。生死之痛，其實就像一滴燭淚落下來，突然被「膚」。

【死又何曾死？】

佛經上說：「生又何嘗生？死又何曾死？」生生死死、死死生生，本來就同在一個循環中；所以說：死是生的開頭，生是死的起點。

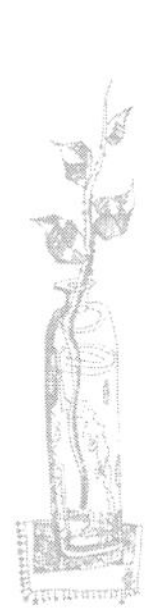

・第十六篇・《「道」與「性」、「信」與「迷」》

有限的人生・無限的世界

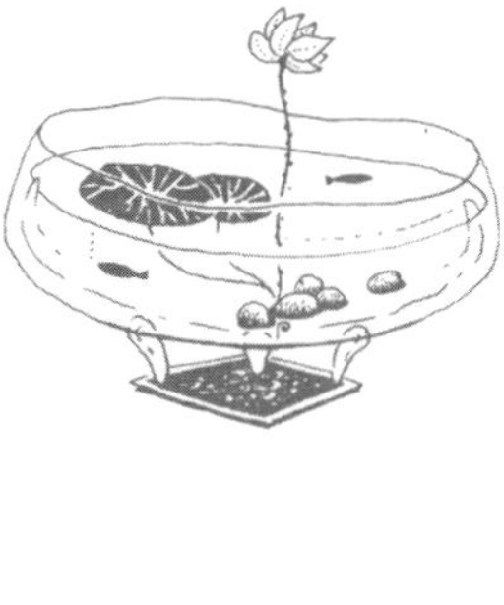

【世事皆虛迷】

世間言語、文字或名位，繽紛迷離，姿影綽約——因其多彩多變，故不真實。

【修行的工具】

變動的道非真道，只是修行的工具而已；故須能取、能捨、能善用而不執迷。

【捨船就道】

對修道者而言，語言、文字皆如渡船。為達彼岸，自須善用此船；既達彼岸，即應捨船就道，勿再戀棧。

【道不能「說」斷】

以有限的人生面對無限的世界，非「言語」所能「道斷」；尤其潛心向道者，真正的說法、傳道，如果只靠語言、文字，「道」即斷了！真道須心會意解、躬身實踐，不能徒靠文字或語言來傳達。

【眞道須力行】

實實在在的道不是看來的，也不是聽來的，而是要真正去做——確切去實踐，才能表達出真道。

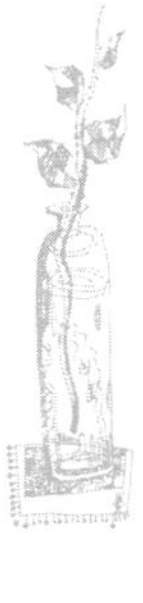

【眞性從何悟？】

習性不是「真性」。真性必須從人的習性中去體會、修為、契合，謂之「神會」，即是由精神體會而領悟出來的真理。

【形實如一】

無「形式」則不足以顯「內容」。然形式要取諸「中道」，不可野亦不可亂，尤其不可輕忽「形實如一」的掌握。

【有與無之間】

事事皆「有」則會迷，樣樣皆「無」則會斷；言「有」則執常，言「無」則執斷。

【不要迷信自己】

多數人的心都是迷信的。迷信自己的人，總以為天下唯我獨尊，唯有我能力最強。人應該相信自己，但是不可執著。

【貪之迷】

有些人，沒信佛以前不信有天堂地獄，一直為貪圖欲念享受，造作很多損人不利己的事。一旦信了佛，又迷於有天堂地獄而貪圖功德，這二者都是「迷」。

【必須智信】

無信與迷信二者，寧願「無信」也不要「迷信」。信必須智信，不可捕風捉影。

【勇敢面對現實】

培養面對現實的勇氣和毅力，以歡喜心接受一切境界，不要動輒求神問卜。心若迷時會很苦，苦在自己無法作主。

【迷信不如無信】

迷信不如無信，學佛一定要轉迷為智，離開眾生的煩惱心，回歸清淨無染的佛性。

【做個智信者】

智信者深體佛法之精神，迷信者曲解宗教之美意。

【正信】

人有正確的信仰，在人生旅途走的路就不會有差錯。人的觀念如果不正，就不能正業；觀念如果偏差，所做的事也易於出錯。

【心正則氣盛】

正信的宗教在於心正，心正則氣盛，氣盛方能自在。迷信就會疑心生暗鬼、問神卜卦，取信於籤詩、筊杯，而無法真正深入教理。

【唯心是佛】

正信的佛法，不說感應、不說神通，唯心是佛。

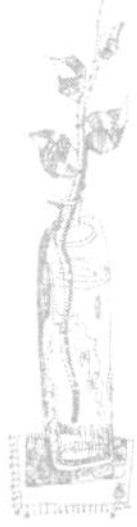

·第十七篇·《修養、修行、禪》

浸潤在人性的源頭裡

【整體美】

整體的美，在於個體的修養。

【四威儀】

一個人的修養——氣質，均在行、住、坐、臥四威儀中自然地顯露出來。走路有走路的風度，站立有站立的姿勢，坐有坐的形態，睡臥有睡臥的姿態……。

【培養氣質】

有人常常埋怨自己長得不漂亮、沒有人緣，其實人緣並不在於色身，而在於氣質。氣質則由修養中培養而得。

【顯於外，修於內】

修行，主要是「修心於內而顯於外」。心在內沒人看得見，唯有藉行於外的整齊以顯示內在的清淨。

【何謂修行？】

常有人把「修行」誤認為是出家人的專用名詞，其實修行表現在日常生活中，是人人應有的生活修養。「修」是修心養性，「行」是端正行為。

【時時退讓一步】

退讓一步以成全別人，即是修養，即是修行。

【修行靠自己】

修行得自己下功夫，靠自己的精進來啓發靈明的覺性，不能期望無修自成的果實。

【了知人性的本然】

修行不在於長篇大論，也不是高深難解的抽象概念，而是如實、深切地了知人性的本然。

【身心如一】

靜坐是為調身、調心、調氣，要調得身心如一，動靜一致。

【靜坐的用意】

靜坐深思的主要用意是：聚精凝神、養精蓄「睿」，反觀內心自性，反省過去，慎思現在，警惕未來。亦即：止惡——諸惡莫作；持善——眾善奉行。靜坐不離此意，即是真修行。

【活著往生】

活生生的往生（註），當下即是淨土。

（註：死在宗教上來說，為新生命的再啓發；是捨掉舊的、更換新的，走向更好的天地，故曰「往生」。）

【當下轉凡入聖】

修行不是在最後一口氣才往生西方，而是當下活生生的往生極樂世界——只要把凡夫心換成慈悲清淨心。

【兩種修行人】

立志修行的人有兩種：一種是被生活之苦所逼迫，而有修道以求解脫的衝動；另一種人是因為他找到了自我。對後者而言，生活體驗與挫折只會使他更加堅定信仰。

【醫院也是道場】

醫生在病人的眼裡就是活佛，護士就是白衣大士、觀世音菩薩。所以，醫院應該是大菩薩修行的道場。

【力行四攝法】

修持菩薩道，須力行「四攝法」：布施、愛語、利行、同事。

布施——「施比受更有福」，欲做菩薩，要不斷付出而無所求，將心力、勞力、財力、物力等皆歡喜施捨，則人生自然幸福安樂。

愛語——柔聲悅色，令人聞之欣慰、見之敬愛。誠懇的愛語，可掃除一切人我煩惱，解開心結鬱悶，化干戈為玉帛，轉暴戾為祥和。

利行——攝持身、口、意行善，利益眾生，慈悲濟世，即無上功德。

同事——菩薩所緣，緣苦眾生。身處苦難娑婆，應先自我淨化、以身作則，感化周遭共同生活、工作的每一個人，並鼓勵眾人一起力行菩薩道。

【心淨意誠則氣靜】

一般人常誤以為「打坐」才是禪，其實禪修打坐，目的是要修得心淨、意誠、氣靜。禪、靜、誠三者不能分離。

【禪定】

一切言行舉止能精神統一，心念一致，就是禪定。

【三昧正定】

正信佛教的禪定叫三昧，意即正定，是靠日常生活中的磨練所成就，屬修道的方法之一。

【心住於一境】

真正的禪，是在日常生活中不起煩惱妄想，能集中精神、一心不亂，行茲在茲、念茲在茲，使心住於一境。

【善用時間】

善於利用時間的人，無時無刻不是修持參禪的好機緣。

【參活禪】

學佛，要學活的佛；打坐參禪，要學活禪。能使平常生活中的舉止動作無不是禪，才是真正的活禪。

第十七篇　浸潤在人性的源頭裡

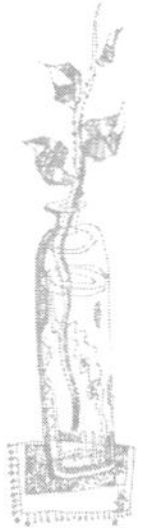

・第十八篇・《走向「學佛」之路》

無聲的説法

【無所求的奉獻】

無所求的奉獻，及為一切眾生而修養自己的言語行動，就是學佛。

【佛陀的教育】

佛陀的教育不只教我們如何了生脫死，更教我們如何包容人、不與人計較。

【極致的修養】

學佛要修養到無論發生什麼事，心中都沒有絲毫委屈感。

【愛心加耐心】

不先培養「愛心」和「耐心」，則佛道難成。

【做人是成佛之基】

成佛不成佛，端在做人。

【人人皆有佛性】

信佛不是信一個偶像，而是信仰佛陀的人格，再反觀自性，相信自己與佛陀有同等的毅力——人人皆有佛性，只要肯用心，人人都可發揮真如本性。

【做自己的主人】

學佛須先了解無常的道理，如能了徹此理，才能來去自在，做自己生命的主人，邁向光明的境界。

【簡單就是法】

教法不必聽太多。若能身體力行，簡單的一句偈文就是真法，就能啓發真正的善根。

【三理四相】

人生無常。物理有成、住、壞、空；心理有生、住、異、滅；生理有生、老、病、死。這些道理我們若能透徹，就不會在人與人之間計較；不在人我是非中計較，自然能專心於道，不會在現實的人生中隨意起心動念！

【如來的形象】

學佛若學得心在寧靜中，意在微細分析中，則天下一草一木一花一葉，無不是如來的形象。

【學佛三心】

學佛要有三心：直心、深心、大悲心。

【學佛前後】

學佛之前，生命像一張白紙，橫寫豎畫，隨心所欲。學佛之後，生命像在紙上學寫字，要端正規矩才能給人看。

【無聲的說法】

這個世界無時無刻不在對我們說法，這種說法常是無聲的，但有時卻比有聲更為深刻。

【一帖歡喜良藥】

法譬如水，能洗淨眾生被污染的心；法譬如藥，藥無貴賤，能應病即是良藥。歡喜心即是一帖良藥。

【妙法貴在應用】

若眾生需要，滿山遍野的一草一木無不是藥；若非眾生所需，則再珍貴的材質也不是藥。佛法亦如是，無經不深，無經不淺，無高無低，無大無小。眾生的心若能吸收應用，即是微妙大法。

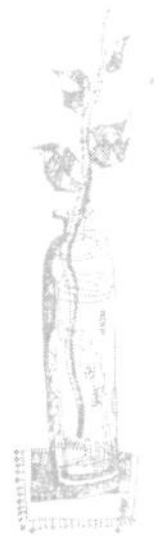

答人間問【下卷】

・第一篇・《人事篇》

即境答問

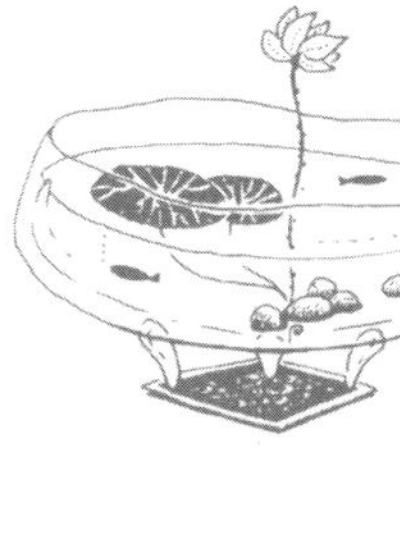

【談善美】

善是什麼？

師言：「善就是『智慧』——智是『分別智』，慧是『平等慧』；有了智慧，就有善和美。」

又言：「善不能以威權行之，亦即不能用善心之名，把己意強加在別人身上。」

慈悲和「善」的關係如何？

師言：「光有慈悲而缺少智慧，有時也會衍生弊病。例如社會上常有善心人士被騙，如此慈悲不僅未能達到行善的目的，反而助長了騙徒的惡行。所以，我們要以智慧發揮慈悲，才是真正的善。」

有人問：「什麼最美？什麼最樂？」

師言：「『寧靜最美，安定最樂。』這是習禪、修心、養性，最美好、怡悅且最崇高的境界。」

世界上眞有圓滿、完美的事嗎？圓滿可以追求嗎？

師言：「有始就有終，有生就有滅。物質、名利的追求既辛苦又徒勞，既無止境又無保障；由此看來，世間沒有所謂圓滿的事。然而，人性的圓滿卻可以追求，它是一種價值觀的追求——因為人性、道德都是可以修為、提升的，是一種反求諸己的美善境界。透過自我的修養和努力，我們可以追求到一分圓滿的價值，一種完美的人生態度。」

有人問：「什麼樣的人最美？什麼樣的衣服穿在身上最漂亮？」

師言：「帶著微笑的面孔最美，微笑是世界共通的語言、愛的表現。最漂亮、最有氣質的衣服是——柔和忍辱衣。」

【談德行】

什麼是「德」呢？

師言：「德是有志於道；於內心下功夫而行諸於外，謂之『德』。譬如走路、行儀……，都可表現出一個人的『德相』來。因此，德也是一種自我教育，是內心的梳理、表現在外的行為規矩。」

年輕的女孩問：「怎樣穿衣服才好？」

師言：「自然最好。衣服可以保護我們的身體，也可以表現我們的氣質；什麼身分，什麼年紀，什麼情境，都要合乎自然的穿著才好。」

又言：「穿衣要順其自然才美；如果太牽強、不自然，就不美了。」

某大學的社團負責人來訪，問道：「什麼叫做造口業？」

師言：「所說的話句句皆實話，所說的事完全負責任，就稱做『正語』；反之，則是造口業。開口動舌無不是業，欲不造業，則必須以無漏智慧來攝受口業。玩笑話語或是取笑別人，也會造下不可收拾的因果！」

又言：「和與敬是修行最重要的事，所以身形不可違背生活禮節。對人粗聲粗氣，妄言、綺語、兩舌，這都是在聲中造業，也就是造口業。」

爲什麼有的人對熟人比對陌生人，反而顯得禮貌不週？

師言：「彼此不熟識時，大家都客氣相待，講究客套與禮節；等到彼此相處日久，互相熟悉後，就『熟不拘禮』，不再講求禮節。因此有人說：『恨由愛起。』因為不熟悉時彼此客氣相待，並相敬相愛；等到彼此熟識，客套禮節漸失，就會生起一分怨恨之心。所以，我們要永遠保持最初相識時的客氣態度，才是待人處事之道。」

開放大陸探親後，許多返鄉同胞看到當地的境況，便生起分別心，言語行止常露驕態。

師言：「回到大陸探親，大家要心存虔敬的平等觀和道德觀，不要去傷人家的心，也不要去刺人家的眼。那種清貧生活，我們也曾經走過，難道大家都忘了嗎？如果禁不住就自我炫耀，不但傷害大陸同胞，也傷害我們自己。」

【談生命】

有會員問：「我們該怎麼來觀看這個世界才好？」

師言：「打個比方，一般人看世界、看一花一草，是把它放在一張白紙上看；真正的觀者，是把它放在玻璃上觀賞。這二者有什麼不同呢？放在白紙上看像一幅畫，但卻看不到一花一草的因緣，因為與真實的草木相隔開來，它沒有生命，只能單獨的觀看。而放在玻璃上看是透明的，一花一草與自然背景、天地萬有仍然相互關連，處處都透露因緣與生趣；雖然是花草，但也不只是單獨的花草而已。」

青年學者問：「佛家講『有漏皆苦』，生命既能成長，自然也有所消逝。是否凡是生命，本質上就與痛苦連結在一起？」

師言：「生與死，本來就連結在一起。死，最痛苦的並非死者本身，而是活著的人。每當想到死，精神上自然產生一陣威脅的痛苦。除了肉體的苦，還有愛別離苦；人生所愛的一切，都捨不得離開而又不得不離，這是精神上最大的折磨。人有生的那一天，就一定有死的那一刻。一般所說的苦，是苦在生與死之間的這一段人生。人生中的是是非非，是像非，非又像是；明知是非如過眼雲煙，但總難免被眼前的人我是非牽動而起煩惱。需知一旦生而為人，生命本身就值得祝福。我們應該學學林傳欽小弟弟，人家問他：『你的兩條腿都給鋸掉了，怎麼辦？』他說：『我比脊椎受傷的人幸運得多！』你說他苦，他並不以為苦。」

有位青年問：「人生的路，應選擇平凡平淡的好，還是冒險激越的好？」

師言：「寧取平淡。冒險應是逼不得已的作為，並非存心為冒險而冒險。」

又言：「生命不過是廣大宇宙中極微末的一個點而已。相對來看，什麼才真正偉大高超呢？怎樣才算是激越呢？不如平淡些，腳踏實地的做人做事。」

【談寬柔】

一般人說：「理直氣壯，得理不饒人。」

師言：「理直要氣『和』，得理『要』饒人。」

若是「理直氣壯」，會有什麼問題呢？

師言：「我們若認為自己有道理，什麼都要爭到贏，這樣就太剛強了，太剛強就會破壞人與人之間的和睦。所謂『得理不饒人』，即凡事有道理就要跟人爭到底。因為執著於自己的理，反而會使自己與眾生皆造業，這是錯誤的行徑；因此，為使眾生培養善業，我們必須『理直氣和』。」

又問：何謂「理直氣和」？

師言：「人需要愛，太嚴則會沖失了愛。有理的時候，氣度更要寬和，才能圓融愛，烘托『理』；所以做人宜『外和內正』。」

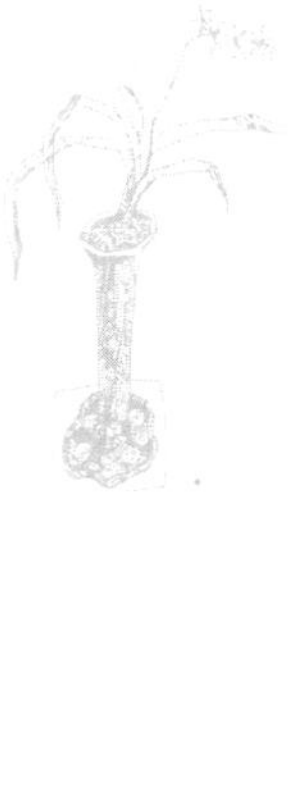

弟子問：「做人做事要如何才能圓融？」

師言：「圓就是圓滿。待人處世要用圓的方法，不要用尖的方法。因為尖銳會傷害到人，同時也會扎到別人的心。」

一位師姊表示：「在工作上，常感到很傷心。」

師言：「要打開心門！如果心門大開，任何人出出入入，都能暢行無礙；反之，心門若窄，任何人出入都會彼此碰撞。」

有些人常會這樣說：「師父，當我要發脾氣時，想到您說的歡喜心，就會把氣壓下來，但卻忍得好難過喔！」

師言：「這是因為還有忍的心才會難過，若能時時培養歡喜心，放大心胸容納一切，自然就會生起清涼喜悅心，也就不需要忍得那麼苦！這就是一步一步的修養，如同細水長流一般，再硬的脾氣、再固執的心，也都會被你這分柔和善順所感化。」

一位慈濟委員請示：「每次訪問急難貧戶，看到他們惶然無助，不知該如何安慰？」

師言：「應先以慈言愛語溫暖其無助惶恐的心神，再慢慢建立其宗教信仰，使其精神有所依止，方能應付眼前的困厄。我們的工作不僅是對苦難眾生作實質上的幫忙，於精神上的紓解更為重要——救人急，救心更急！」

什麼叫做柔和謙虛的「菩薩儀容」？

師言：「對貧困的眾生講話時，語氣要輕柔，態度要謙虛而親切。因為他們需要的不僅是物質，更需要愛。愛的表現在於形態上，所以我們不能有傲慢的態度，一定要溫和親切。」

弟子請示：「如何寬容他人？」

師言：「普天之下，沒有我不愛的人，沒有我不信任的人，也沒有我不原諒的人。如果能具足此『三無』，就能使心理健康並正常發展，自然會寬容人、愛人、信任人。」

【談缺失】

有位委員端出一杯茶，突然發現杯子稍有缺口，她說道：「師父，眞是抱歉！這杯子缺了一角……」

師言：「除了那微末的一角外，整個杯口不都還是圓的？每個人都有缺點，若不去計較缺點，每個人都是很好的人。」

有人問：「如何對待犯錯的人？」

師言：「我們應該像佛陀對待罪惡的眾生一樣，原諒他、憐憫他、幫助他。人性總有善良的一面，有時犯錯的人其實比被侵犯的人更加痛苦。」

做壞事的人都會痛苦嗎？

師言：「做壞事的人，是『自我地獄』裡的囚徒。如果不承認他的苦痛，只有兩種情況——一是嘴硬，心裡卻很惶恐；這種人的內心極為脆弱，不敢面對自己的痛苦。二是精神不正常的人；這種人已經病得很嚴重，需要心理治療、需要愛。」

積習未改，時常犯錯的人，也該原諒嗎？

師言：「積習是一種長期不自覺的習慣，和預謀犯罪不同，應以更大的愛心和耐心來教育他、開導他。有一則故事：『有位小徒弟，雖一心向佛，卻很難改掉他的毛病——偷竊。師父每次都原諒了他。某次情況特別緊要，小徒弟竟又犯戒！眾弟子無不憤慨，面陳師父，盼趕走小偷徒弟，否則大家恥與為伍，只有離去。但師父回答：即使你們都走了，我也不能趕走他。因為你們都能注意修養，到哪裡都受歡迎；唯獨他有不好的毛病，到哪都不受歡迎，我怎能為留下你們而捨棄他呢？眾弟子聞言，大受感動；小偷徒弟聽了之後，也羞愧莫名，感激涕零！於是決心改過，終能自新。』」

世界上什麼人最快樂？

師言：「能原諒別人的人最快樂。當你原諒一個人的時候，當下心中的煩苦也同時消失了。」

【談實踐】

有人請示：如何發心？

師言：「發心要發在腳底上，走得正，站得穩；不是發在口中，只說不行。」

有位青年學者來精舍小住，請示師父：「爲何讀書人常感苦悶？」

師言：「知識分子雖然文字看得多，但是事理如果無法圓融時，卻會苦悶、掙扎不已，這是因為只明理而不實踐之故。如能放寬心胸，該做的放手去做，該捨的毅然捨下，豈有時間浪費在無謂的苦悶中？」

某社會工作者感嘆世道日非，人心不古。

師言：「不要抱怨現在的世間如何？人心如何？倒是應該從這裡反省：因為現在的社會已是如此，所以才更需要我們為社會去付出。譬如人有病時，才更顯出好醫生的重要……。這些問題，正是激勵我們好好從事一番作為的力量，也是我們應該積極服務眾生、實踐理想的好機緣。」

【談做事】

一對年輕夫婦問道：「做事業應該把持怎樣的態度？」

師言：「以誠以正。」

又問：「但是，在公司裡常有很多是非傳言。」

師言：「是非止於智者。如果沒有是非及人事，也就不是凡夫的世界。」

弟子問：「凡夫常在人我是非中迷失自己，怎麼辦？」

師言：「凡夫常被因果所轉而輪轉於自己的果報

中，痛了就一直鑽在自己的痛苦中。聖人卻能以一分平常心去轉業——痛快！痛快！讓自己的痛苦快快過去，業障也就被心境轉了過去。」

一般人常把苦幹與能幹混爲一談，其實二者有所差別。

師言：「能幹的人雖然能積極任事，但難免存有世俗的習性，能任勞卻不能任怨；而苦幹的人不但盡其所能地發揮才幹，最難能可貴的是，他能任勞又任怨。」

有人常為負擔太重而困擾。

師言：「不要擔心負擔多、責任重，能受天磨方鐵漢！只要腳步站穩，力氣會愈用愈大！」

人應該如何面對「休息」與「工作」呢？

師言：「休息的意義，應該是換一個姿勢，也可說是用另一種方式來工作；並非靜靜地坐著全身不動。我們要多多利用人生，多一分付出，就能多一分成就。」

國外回來的慈濟委員在精舍小住時，隨眾勞作，包裝蠟燭。因蠟燭滑手，包裝用的膠紙也滑手，且每一包要裝塡數隻蠟燭，委員每每不能圓滿完成。師父見狀即爲其作示範，剎時而成。委員請示原理。

師言：「做一件事，要把心放在上面，手是隨著心的意念而動。要細緻、專一、層次分明地做，毋需貪多；先用膠紙包貼好一個蠟燭，再慢慢往上推去，因蠟燭大小一致，即可循序完成。做事、修行，道理都是一樣！」

精舍一位常住師父工作時，發現膠水用完了，便向慈濟功德會辦公室借了一瓶用過的膠水來使用。

師父得知此事言：「慈濟功德會的經費，一分、一縷都是萬眾會員珍貴捐贈，要作為救世濟貧之用，分毫都不可錯用。如果臨時要借用，如借膠水，就要借一整瓶，並儘快還一整瓶。事情清清楚楚，對會員才能交代。做事不能因事小而大意，要精確地把握分寸。」

【談本分】

有人說，這是我的義務；也有人說，這是我的本分。「義務」與「本分」的差別究竟何在？

師言：「在行事當中，若覺得這是我的義務，便會不計代價去做；如果換成這是我的本分來思考，也會不計代價地做——然而義務是應然，本分是必然；義務是形式的約束，本分卻是自然、內在的充實。其間的喜樂、個人覺知，自有不同。」

一位大學教授，看到現今教育事業愈來愈變質，心中頗爲傷感。

師言：「從傳統中國的禮教社會到現代功利主義的社會，師生相處的真義，都不外乎坦誠、盡本分而已。當今師生關係變質，無非是附帶的包袱太多、本分的掌握太少所致。」

一位就讀某大學研究所的義工，惑於當前手段與目的不分的現實，請示：「手段重要，還是目的重要？」

師言：「要有過程，不要有手段；要有目標，不要有目的。過程是本分和自然，手段則是機巧與權變；目的有得失，目標則是有方向。」

【談責任】

凡人遇到不順心時會生氣，該怎麼辦？

師言：「應該把握自己，及時反省。生氣是對自己的失責，徒然自我消耗精神體力罷了！這種內在的破壞力量，會擾亂心性，也會失去解決問題的慧力。人生要達到『定』的境界，既要面對現實，又要不讓現實影響自心的清澄寧靜。」

會員問：「有些年輕人看到社會上的不公不義，免不了要打抱不平、伸張正義，這樣的想法和做法是否妥當？」

師言：「要有一分『靜觀』的智慧。否則抱不平、喊正義，往往會把事情變得更複雜、更混亂！許多不公不義並非如表象那麼簡單，不能操之過急。如果一時衝動就去抗爭、吶喊，這樣只會更深陷它的不公不義。應力求自省，想想自己做了什麼？能做什麼？每一個人都該盡自己應盡的本分，要有責任感甚於正義感。若人人如此，這個社會才有可能更公平、更正義。」

又問：「責任感與正義感分別何在？」

師言：「責任感是對自己的要求，正義感是對別人的要求。責任感是理性內省，是良知良能的自我奉獻；正義感是感性外鑠，是快意果斷的人我制衡。」

【談溝通】

問：「什麼是『溝通』？如何與人溝通？不同習氣、不同生活背景與知識程度的人，能否溝通？」

師言：「以現實來說，觀念、目標、習氣相近者，比較容易溝通，但是起點仍在個人。要先能傾聽，捐棄自己的成見，並有虛心接受別人想法的胸襟和智慧，才能有真正的溝通。所謂的溝通，不是要人家和我溝通，而是自己如何與人溝通的問題。若要別人退一步、自己進一步，這就不是溝通，只是說服。」

當前的交通這麼混亂，毛病究竟出在哪裡？

師言：「如果人心能好好溝通，車道就能暢通。可惜大家都是你爭我奪，何嘗有平靜的心靈作相互溝通呢？」

又言：「馬路上經常東挖西補，以致滯礙難行。沒有長遠、完善的規畫，交通自然也就時時交而不通了。」

【談改過】

弟子言：「我知道我有很多缺點，我會慢慢改啦！」

師言：「你要慢慢改，那乾脆不要改！人生無常，有多少時間可以讓你慢慢消磨？」

弟子問：「師父，爲什麼其他做錯事的人都不必改，老是要我改？」

師言：「想成佛的人就要改，不想成佛的人就可以多多與人計較！一念覺即佛，一念迷即凡夫。」

或問：「聽時思悟，境來思迷」，應如何克制？

師言：「應提起毅力、決心，立『不二過』之志，並時時惕厲自己。有勇氣即可精進。」

【談貧病】

爲什麼人生會有貧困？

師言：「我用心追其根源，發現多數是因病而貧。只要有健康的身體就能工作，就可平平靜靜過日子；如果遇到病苦，有時一個小康家庭，就會因此而被拖垮。這也是『看病功德第一』的道理。」

有人問：「護理人才的重要性何在？爲何要以白衣大士的精神爲主導？」

師言：「護理人才是醫療極重要的一環。人們生病時，七分身病，三分是心病。再好的醫生和藥石，仍需經過護理人員的關心照拂，醫療過程才算完成。因此，護士除了必須具備精良的專業訓練，還得煥發出如觀音菩薩般的白衣大士精神——一分人傷我痛的慈悲和一分救苦救難的決心，及表現於外的無限溫柔與關懷。」

【談情愛】

有位少女問男女之情如何才好？

師言：「要專，而且要規規矩矩。」

又問：「專情和私情有何不同？」

師言：「私情是佔有，專情是真誠；私情不擇手段，專情寧見對方幸福。」

某位先生爲情所苦，問：「人能斷情否？」

師言：「情實難斷。菩薩道是覺有情，未嘗斷情；佛陀的愛透徹無染，亦未嘗斷情。私情私欲，使眾生痛苦；只有長情大愛，才能使眾生超脫痛苦。」

現在的孩子受盡寵愛，卻仍覺不足，該怎麼辦？

師言：「父母要製造機會，讓孩子親自參與家事；不要太溺愛，要多運用智慧予以啓發和開導。對待外人時，應發揮為人父母的愛心去關懷與付出，這樣孩子也會慢慢瞭解愛的真義。」

有位社會工作者困惑地問：「常見友人獻身社會服務、熱心公益，對家人卻無暇照料。像這樣愛盡天下人，獨忽略自己的家人，感覺上似乎不對吧？」

師言：「不是『似乎不對』，是真的不對。」

有委員請示：「我們在付出愛心幫助貧困的眾生時，應該存著什麼樣的心理？」

師言：「只有不為任何代價、不求任何回報的付出，才能得到更真、更善、更美的境界。」

某慈濟委員一家人到法院公證，表示將來往生後願意捐獻器官。

師言：「能看透愛與生命、沒有佔有心，即是菩薩愛。」

弟子問：「哪裡有永恆的愛？」

師言：「當向虔敬裡尋，當向最初裡尋，當向宗教裡尋。」

【談婆媳】

有媳婦對師父說：「我對婆婆已經夠好了，但是她仍對我不好。」

師言：「婆婆對妳不好是她的事，但是對婆婆好是妳的本分事。要知道妳的一舉一動，晚輩都在看著、學著。既然對婆婆已經好到九十九分，不如就給她滿分吧！」

公婆應該如何看待媳婦？

師言：「子女結婚，不是嫁出一個女兒，而是多了一個兒子；不是娶進一位媳婦，而是多了一個女兒。」

會員請示婆媳相處之道。

師言：「對公婆好，使他們心情好、不生病，是為人子媳的福。若不順公婆，惹他們生氣而生病，照顧、看護哪樣少得了妳？所以，要互相祝福關懷。到市場買菜，不要只想到孩子喜歡吃的東西而忽略了公婆的喜好。凡事要存一分恭敬心。」

【談育親】

弟子問：「要怎樣管教孩子才算恰當？」

師言：「生養子女如同種植樹苗。樹苗種植後，若加太多水和養分，根很快就會腐爛。因為大自然本來就有充分的水、陽光和空氣培育它。教養孩子也是一樣，過分的溺愛，反而會害了他。」

常有父母爲孩子吵架而煩惱。

師言：「那只是一種遊戲，是孩子們社會經驗的開始。他們並不一定認為是在吵架，父母不必刻意加強這種意識。」

孩子不乖，不愛讀書怎麼辦？

師言：「其實，父母對孩子只有義務，只能盡責任，沒有權力。要多為孩子種福，以母親的心懷來愛眾生，以菩薩的智慧來教育子女，不要為子女太操心，這樣無形中會加重孩子的業。」

有位年輕女子因戀愛受家長阻撓，因此男方另娶，少女心意憔悴，頓思出家。家長雖懊悔，卻難以勸說，於是請師父開導女兒。

師言：「出家是一輩子的事，和女孩子出嫁一樣，都要非常慎重。出嫁，不該是激情、衝動的決定；出家，尤其是清靜澄明的堅定抉擇。然而，出嫁是走入另一個家庭；出家則是走入如來家，要挑起如來家業，挑起教化普天下眾生的責任，和在家人全然不同。這個擔子既重又遠，萬一承受不起，不是更苦嗎？要仔細想清楚，不要在感情有波折、煩惱不安時做這個決定。」

又對家長言：「培養子女是家長的責任，但不能施以權威。不能因為是家長，就要子女處處都得順從自己的主意——這樣的愛太苦太嚴，會令受者、施者都受傷，豈不失去了疼惜子女的本意？」

有位醫學教授認爲看病功德第一，所以兒子考大學時，一定要兒子以醫學院爲第一志願。但兒子志不在此，不願依從，父親吩咐家人一定要盯著兒子這樣填寫。

師言：「固然醫生的功德很大，但為人父母者，還是要以開導的方式，培養孩子的興趣較好。若以命令強加子女身上，反倒苦了孩子。雖然是以善意出發，卻不一定能結出

好的果實。做父母的，應以寬柔的心胸、智慧的眼光看待子女，讓子女走他願走、能走的路才好。」

【新春三願】

民國七十二年新春，會員探問師父的新春願望。

師父的三個願望是：

一、不求事事如意，只求具足充分的勇氣面對現實。

二、不祈求身體健康，只希望時時有一股智慧充足的精神和一分不退轉的愛心。

三、不希望減輕負擔，只求有更大的力量來承擔這個世間所該做的事。

・第二篇・《宗教篇》

即境開示

【談信仰】

問：「什麼才是生命中最踏實的力量呢？」

師言：「一個人錢再多，總帶不去；才華再高，也不能保障一生的穩定。現實生活中，一切都是那麼虛幻、漂浮不定；什麼才是生命中最踏實而安定的力量呢？這必須從生命的終極關懷中去尋找。一個人有了生命的終極關懷，不管在什麼環境下，遇到什麼困難，總會循著一定的宗旨和方向安然前行，就像航海中有了指南針。」

某記者感嘆說：「為什麼我工作上一直努力不懈，仍常常覺得很空虛呢？」

師言：「要先找回自己。否則像浮萍無根一樣，縱使處處用力、時時用心，到頭終是一場空。」

又問：「如何才能找回自己？」

師言：「歸根究柢仍是宗教信仰問題。有正信的宗教精神為中心，便能有定力，才不致被世間的人我是非所蒙蔽。」

有學者道：「常覺得社會不公平，自己的責任很重，壓力很大。」

師言：「人生觀不同，心態也會不同。同樣能明辨世間善惡是非，無宗教信仰者，抱持不平之心，濟世之志愈大，壓力也就愈大；有宗教信仰者，欲普度眾生，然其善盡本分，責任雖重，心態卻很寬柔。」

某居士因爲兒子信仰基督教，十分懊惱。

師父開示道：「你該為他高興呀！有信仰比沒有信仰好。」

有委員一心向佛，妻子卻是虔誠的基督徒，因此請示：「不同宗教信仰，應如何相處？」

師言：「宗教像個大海，不管江水、河水、溪水，什麼都可以容納，即所謂萬流歸宗。我們一定要有這種涵量去愛、去包容，去欣賞各種宗教的信仰者。只要自己行得正，誰說誰對都不要計較，千萬不要說：『我對，你不對！』」

問：「無論是宗教人物或政治人物，都認爲自己的理想是好的，可以爲眾生帶來幸福。這其間有什麼差別呢？」

師言：「二者當然有差別，而且相差很大——真正的宗教家超越了功利，政治人物卻要建立功利。」

某位先生眞切地表示：「對於佛教，心中有一連串的問號……」

師言：「佛教乃承擔如來家業，引導人們智信而非迷信。有人為求消災，以為拜佛，佛就會保佑。其實，佛教是以浩瀚教義來啓發人們的智信與良知良能。看得開、放得下，即有心力向前進。總而言之，信仰乃先啓發自信，再去引度別人智信。」

青年詩人問：「信佛的人和不信佛的人，在生活或道德上的實踐有無差別？」

師言：「信佛和不信佛的人，基本上沒什麼差別。他們都是人，擁有人所共有的本性與善心。即使不信佛的人，只要能發揮他的本性與善心，也一樣做好事。但是信佛的人中，沒有『學佛』和有『學佛』就有差別了！學佛的人必須一心效法佛心佛行，以救人救世為己任，常常捨身就道，犧牲小我，完成大我。沒有學佛的人比較不能擺脫自身利害的考量，常在有意無意間透露積德求庇佑的心態。相對之下，學佛者

的行善無所求，正如佛陀是為眾生成佛，
而不是為自己成佛！」

有位女士因丈夫被崩土掩埋年餘，難捱沉重壓力，要求遁入佛門、了脫煩惱。

師言：「家中群幼尚需母親撫養、教導，此時如撒手不管，一則對子女失責，二則更加深自己的業障；理應於家中好好盡一分母親的天職。」

【談學佛】

現代人往往神佛不分，以爲佛即是神。

師言：「佛不是神，大地眾生皆有佛性。佛陀乃是超凡入聖、自覺覺他的最尊者，也是真實人生的引導者。」

弟子問：「爲何要將佛聖化而不可神化？」

師言：「神與鬼同道，因為還有瞋心在，所以隨業流轉於三界內。而佛菩薩疼愛眾生，如母之愛子，無怨無求；因此佛是聖人而非神。神離人很遠，而聖人卻隨時在我們的周圍。」

弟子問：「爲什麼我們覺得佛法很深奧呢？」

師言：「若往上推溯到佛陀時代，佛法並不是那麼深奧，而是很淺顯易懂、平易近人的教育，是我們日常生活中做人的道理而已。後來因為人們對佛陀尊仰崇敬，難免有各種精深或奇特的描述。若能抱持佛法是日常生活的心靈教育，那麼進入佛門之後，自然能了解人生真諦。」

弟子問：「學佛者常跑道場好不好？」

師言：「有些學佛者的心態如海水，常自起波瀾，自作煩惱。有的人開始接觸佛法時，即迫不及待地拜佛、念佛，對佛法的真義卻不去探究。其實，學佛應該將佛陀教導我們的教法，應用在日常生活中。直心是道場，正心是道場，深心是道場。」

弟子問：「佛教徒有三類：一是學佛的人，二是拜佛的人，三是信佛的人。到底哪一種人才是正信的佛教徒呢？」

師言：「學佛的人才是。我們要學佛的信心、毅力和勇氣，以及學佛犧牲小我、完成大我的偉大精神。」

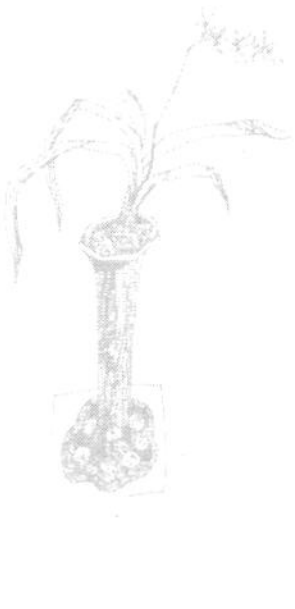

有些人會說：「師父，我很想學佛，但是識字不多，要學念經實在很難啊！」

師言：「佛陀並不希望大家將他說的教法當成文字經典，只用嘴巴念念，而是要把道理拿來力行。其實，佛陀講經就在講道，並指引一條路讓我們走；所以，我們應當『精勤而行之』，才是真正地『學佛』啊！」

弟子問：「什麼是經？爲何要念經？」

師言：「『經』即是『道』，『道』即是『路』。念經就好比看地圖，記下地圖中的名稱、方向，再按圖索驥，我們才知道應該遵循的方向。」

某委員請示：「如何聽道才能攝受佛法？」

師言：「心若不專，則聞不入——心念不專一，即使聽再多的法也聽不進去。大部分的人都是一耳聽、一耳漏，這叫做有漏；靠耳根聽，並專心攝受，則稱為無漏。以無漏根聽法，才能攝受佛法。」

【談功德】

會員問：「捐血也是一項孝順父母的功德嗎？」

師言：「我們身體中的每滴血都來自父母。能將父母給我們、流在我們體內的血輸到別人身上，救人一命，這是多麼的神聖！這就是報答父母的恩德。」

一位婦人問：「誦經眞有功德嗎？」

師言：「有人以為只要念經，佛陀就會保佑他、為他消災，這是錯誤的觀念。眾生渾沌，時常迷失自我而誤入歧途。佛陀講經說法，即是指導我們人生的方向。」

有弟子問：「念佛號的意義何在？」

師言：「念『阿彌陀佛』佛號的人，有上根上智者，也有智識不足者。上根上智者，只消一句『阿彌陀佛』，即能從中吸收無量無邊之佛法，體悟佛心；智識不足者，一時無法了解經中的道理，所以也要勤念『阿彌陀佛』，以求消除罪業、澄思定心。」

有人問：「聽說一定要念幾萬遍佛號，方可往生西方？」

師言：「他是一直在數念幾遍，心念放在數字上，而非放在佛號上。」

弟子問：「聽說誦三千卷《金剛經》可以破名相？」

師言：「若能夠破名相，四句偈就可破；若不能破，誦一萬卷《金剛經》也沒有用！」

【談因果】

一位會員，一坐定即說：「請師父看因果。」

師言：「我不會看因果，但我們要注意因果。」

有人請示：「因果與環境有關係嗎？」

師言：「因果乃業力所致，會牽制環境。」

又問：「可以改變嗎？」

師言：「要有毅力，還要有一分善緣。」

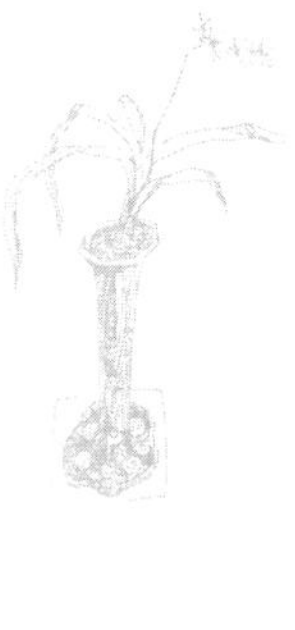

一位師姊問：「何時運才能通？」

師言：「心開運就通。日日歡喜過，即得心自在。」

常有人問：「人爲什麼不能自主？爲什麼如癡人任憑環境擺布、被命運安排呢？」

師言：「只有凡夫才會被命運安排，聖人能安排自己的命運。如何安排命運呢？必須用信心、願力及智慧，堅毅地破除煩惱惡念；如此，業力一轉，就能解脫自在。」

【談迷信】

有些人常問：「算命有用嗎？」

師言：「命理是有的，但不能迷信。一般人所說的命運或運氣就是佛教所說的業力，既然相信業力，自然就會有命理。但是，佛教有一句名言：『一切唯心造。』凡夫受命運所操縱，聖人卻能操縱自己的命運。」

爲什麼有人常去算命、問運氣？

師言：「其實有一分正信、正念，自己就可以轉運。慈濟貧戶個案中，有很多是算命的。」

常有人爲事業不順或身體不好，而懷疑家中的神位不對或有所沖犯。

師言：「佛門講定業因果，只要心安處處皆安，心安即理得。在佛教中，任何方位都是好方位。」

有人篤信並依行算命之言，惟恐犯忌。

師言：「佛教談精神超然，心正則氣盛。在佛門中，日日月月都是吉祥時。」

某居士問：「一般民眾所信仰的法術神通與佛教有關嗎？又一般對深入信仰者謂之迷，是嗎？」

師言：「法術不是佛教的產物。至於『迷』字，端看人們如何信仰？一般社會人士因心念惶恐，對事物無法全心信仰，乃取信於籤詩筊杯，並沒有真正深入教理。佛教是改革人生的科學，而非只是拜拜的宗教。」

一位自稱爲佛門幼稚生的男眾來請法：「眞有靈魂嗎？」

師言：「迷者為靈魂，覺者為覺識。」

【談修行】

常有人問：「應如何修行？」

師言：「注意外境來時的一念之間。」

有人以爲自己修持得很好，但是碰到一點小事就起煩惱心。

師言：「凡夫心容易起波瀾，即是『八風』（註）吹不動，微風吹動了。」

（註：人生「八法」如八種風，分別是：利、衰、毀、譽、稱、譏、苦、樂。）

或問：「師父，修行和修養有什麼不同？」

師言：「修行就是修心養性。每個人的習氣不同，佛性卻是一樣的，修行就是要好好保持這分善良的本性。所以，修行也就是修養。」

年輕的佛學院學生問師父如何修持？

師言：「每天都是我人生道上的一頁，過眼的每個人、每句話，都是頁中的字字行行。在人生中得佛法，而非在佛法中得人生。」

有二位年輕比丘尼來精舍，問：「法師啊！在您修行的這條道路上，有否碰到困難的事？」

師父反問他們：「什麼叫做困難？我從來沒有時間去想困難。」

又問：「在人與人之間，您的心難道沒有障礙嗎？」

師言：「修行是自己心甘情願的，就是因為要脫離人我是非，才需要修行。如果修行還去招惹人我是非，那又何必修行呢？」

有人問：「爲何要持戒？」

師言：「人之所以痛苦、惶恐不安，是因犯錯的罪惡感所致。持戒就是要防患於未然，守正於日常生活中並形成規矩，自可避免犯錯。」

有人說：「我心好就好，何必修行？」

師言：「你的心好有誰知道呢？真正的心好，是要受過一番洗練，練得非常自動、練得沒有一絲一毫的考慮，就能伸出援手幫助別人。修行因此就有必要了！」

某先生喜歡參禪。

師言：「參禪不是光坐在那裡而已。行住坐臥、擔柴運水，無不是禪。我們要行禪，不是坐枯禪。」

另有一委員問：「何謂禪？」

師言：「吃飯專心吃，做事專心做，心無旁騖即是禪。」

【談神通】

有些人以為，修行能修到眼見仙佛鬼神就是「天眼通」，其實這是錯誤的見解。

師言：「只要能看開世間事物，不去計較爭執，就是真正的天眼通了。」

有人學打坐之後，常聽到別人聽不到的聲音，以爲這就是「天耳通」。

師言：「真正的天耳通，是遠離一切煩惱雜念和不清淨的言語。不但不聽是非，而且還能把是非轉為佛法，當作教育，這才是真正的天耳通。」

很多人以爲具有「神足通」的人，能日行十萬八千里，其實這是不可能的事。

師言：「真正的神足通，是世間的路條條皆走得通。只要我們秉持光明正大的心，抱持誠正態度待人接物，則天下無難事！天下無難事，當然也就條條道路皆行得通。」

別人在想些什麼，具有「他心通」的人眞的都知道嗎？

師言：「只要我們能抱著坦誠的心意，體諒他人，事事為他人設想，那麼他人對我們就沒有任何隱瞞。如此，我們怎會不了解他人的心思呢？」

所謂「宿命通」，就是洞悉過去，瞭解現在，預知未來？

師言：「想知道過去、未來，其實現在就能一清二楚了。有句話說：『欲知前世因，今生受者是；欲知來世果，今生作者是。』這豈不是明顯地告訴我們過去和未來嗎？」

「無漏通」又是什麼？

師言：「學佛不要妄求神通，最重要是能斷盡煩惱。接受佛法後能身體力行、發揮菩薩的精神，這種『無漏通』才是學佛者所應求。假如能修到無漏通，心自然能通達無礙；心通則萬事皆通，如此，又何必盲目地追求神通？」

附錄

《附錄一》

一九八九年編輯緣起

高信疆

證嚴法師是「慈濟功德會」的創始人。

二十五年前，慈濟功德會成立時，法師是布衣芒鞋、和敬寬柔；三年前慈濟醫院成立時，法師還是布衣芒鞋、和敬寬柔；今年，慈濟護理專校創校開學了，法師依舊是布衣芒鞋、和敬寬柔——法師做了那麼多利濟蒼生的事，開展了那麼多雨露廣布的志業，啓悟了那麼多不同身分、不同個性的人，然而法師從無遲疑，從不懈怠，始終如一、克勤克儉的耕耘在他那「無緣大慈，同體大悲」的人間大愛裡。

二十五年過去了，慈濟功德會自當初的三十人匯聚成如今的三十六萬人；自濟貧開始，而一步步擴展到慈善、醫療、教育、文化這四大志業的落實和成長，那是一條怎樣心力瘁勞、血汗交融，而又堅毅弘忍的路啊！

可是法師無怨無畏，坦然怡然的伴攜著隨行的弟子們、會員們、委員們，眾心一志的走過來。

曾經，法師在和委員們的談話中說過——

「開始的時候，我們像是一頭犢牛，拉著一把車在草原上行進；今天，雖然有些收成，但卻是包袱滿載的爬在坡上，而且這隻牛也有了年歲，我們決不能讓自己停一下、喘口氣。因爲還在爬坡，一停就後退下來了……我們一定要持志不懈、日益精進，一口氣走到峰頂。」

就是這樣的一種心力和腳力，一分願力和慧力，懇摯信實的鼓舞著眾生、教育著眾生，播種在法師殷殷期勉的「福田」上——

慈悲喜捨，勤植萬蕊心蓮；

予樂拔苦，同造愛的社會。

多少年來，法師慈心柔語，悲智雙運的引領慈濟功德會的朋友，走過風、走過雨，走過烈日炎炎的旱地，濟世救貧、撫病助人。常常，在心志脆弱的時候，法師給予慈濟人堅定的力量；在徬徨摸索的時候，法師指點了慈濟人的方向；在阡陌縱橫的人世交錯裡，法師的聲音梳理著人們紊亂的思緒；在複雜詭譎的感情糾葛中，法師的容色平和了人們胸懷的波瀾——法師親切智慧的語言、溫潤關愛的態度、慧心澄澈的行誼，清晰沉穩的紮實了愈來愈多的慈濟會員們爲人處事的規範。

當然，古往今來，多少聖哲賢人，都曾爲我們立下典範、留下教言。可是，現實人生裡，曲折變易，有些話、有些事，年代久遠了，地理區隔了，焦距模糊了！或者太深，或者太專，對生活的大眾往往難以企及，甚至緩不濟急！更何況，許多人在邁入社會以後，接受教言的機會相形的減少了。因此，在一般情形下，人們面對實際的生活時，總會有些困擾難以解決，總有些事理無法圓融的境遇；有些時候，往往日常最細微的小節，也會把人們絆倒——

然而，法師卻平易近人地在慈濟人最需要的時候，給予各人深切的指引。他那自然而然的隨機開悟、隨緣善導，既眞實又親和、既深邃又淺白。尤其是他那身教言教的道德典範、躬親實踐，特別生動有力地匡正了、滋養了，並且提升了慈濟人。

法師向來少做驚人語，但卻經常是一言點醒夢中人；法師的話，不用深典、不重華詞，卻每每從小地方發眞智見、在答問中抒大啓示；法師不曾疾言厲色過，可是溫溫婉婉間自有天地的橫闊與莊嚴；法師平日教誨弟子或會員時，常以出世之心，談入世之事，語誠而敬、素樸明瑩，隨意俯拾都是良言嘉語，都是人間慈愛、人性善美的信念與德行。

法師的言語，又大多是從現實人生裡出發，從個人實踐中體悟，自每天的生活中契入，是活生生的說法，不知曾救了多少人、多少家庭；也實質幫助了許多人開創事業、調理人情，在立身行事中不僅知所進退、歡喜平安，也能助人爲樂，和睦向上。

因此，慈濟功德會的委員在滿懷感激中，希望把法師平日向弟子、會員或社會人士開示的話輯錄下來，讓更多有心的朋友，能夠親近它、掌握它；無論做人、做事、勵志、修身，或濟貧教富、或淑世助人，皆可隨機翻閱、隨緣索引，因時因地、因人因事而能有所吸收與發揮——信疆忝為慈濟志工，受託編錄，雖力有未逮，卻義不容辭。乃與元馨攜手同工，在何國慶、洪素貞諸慈濟友人的傾力協助下，自法師的答問開示、學佛專論中，自慈濟的書冊報導、隨師記行間，採擷吉光片羽，以類相從，彙錄成冊。

至於輯錄的原則，則以人世的經緯萬端作對象，人性的來去自如當目標，以德行的修養提升、善美的浸潤持一為主軸。

期待它的印行，不僅可作爲慈濟人的覺行指南，也可提供有緣的社會朋友，一部摯切可行的生活辭典。深盼能讓更多人分享法師的智慧、慈悲和容忍，也分享那成就了無數慈濟志業的巨大力量。

但願人人都能行走在這一條救心、救身、救世的道路上，並肩學習、奮力實踐；如果，能因此而爲我們的時代添福祉，爲我們的先人增榮光，爲我們的後代留榜樣，那就更是慈濟人衷心莫大的祝願和感激了。

《附錄二》 水晶石與白蓮花

林清玄

在花蓮鹽寮海邊，有一種石頭是白色的，溫潤含光，即使在最深沉的黑暗中，它還給人一種純淨、光明的感覺。把燈打開，它的美就碰然一響，撫慰人的眼目。把它泡在水裡，透明純粹一如琉璃，它給人的感覺不像是人間之石。

我一向非常喜歡石頭，撿過的石頭少說也有數千顆。不過，這水晶石使我有一種低迴喟歎的感受。在雄山大水的花蓮，竟然孕育出這許多透明渾圓、沒有缺憾的石子，眞令人顫動呀！

疑似水晶的石頭原不產在海裡，它是花蓮深山的蘊藏。在某一個世代，山地崩裂，石塊滾落海岸，海浪不斷的磨洗、侵蝕、沖刷，使其成爲圓而晶明的面目。

疑似水晶的石頭比水晶更美，因爲它有天然的樸素風格。它沒有鑿痕，是山林鍾秀的孕生，又受過海浪永不休止的試煉。

疑似水晶的石頭使人想起白蓮花，白蓮花是穿過了污泥染著的試探，把至美至香至純淨的花朵高高標起到水面；水晶石是滾過了高高的山頂、深深的海底，把至圓至白至堅固的質地輕輕地滑到了海濱。

天地間可驚讚的事物不少，水晶石與白蓮花都是；人世裡可仰望的人也不少，居住在花蓮的證嚴法師就是。

第一次見到證嚴法師，就有一種沉靜透明如琉璃的感覺。

這個世界上，有些人不必言語就能給人一種力量，那種力量雖然難以形容，卻不難感受。證嚴法師的力量來自於他的慈悲，還有他的澄澈。佛經裡說慈悲是一種「力」，清淨也是一種「力」，證嚴法師是語默動靜都展現著這種非凡的力量。

他的身形極瘦弱，聽說身體向來就不好；他說話很慢、聲音很清細，聽說他每天應機說法、不得睡眠，嘴裡竟生了瘡；他走路很從容、輕巧，一點聲音也無，但給人感覺每一步都有沉重的背負與承擔。他吃飯吃得很少，可是碗盤裡不會留下一點渣，他的生活就像那樣子一絲不苟。

有人問他：「師父天天濟貧扶病，每天看到人間這麼多悲慘事相，心裡除了悲憫，情緒會不會被遷動？覺不覺得苦？」

他說：「這就像爬山的人一樣，山路險峻、流血流汗，但他們一點也不覺得辛苦；對不想爬山的人，拉他去爬山，走兩步就叫苦連天了。看別人受苦，恨不能自己來代他們受，受苦的人能得到援助，是最令我欣慰的事。」

我想，這就是他的精神所在了。慈濟功德會的志業，現在已經全國都知道了。它也是近代中國最有象徵性的佛教事業，大家也耳熟能詳，不必贅述。我來談談兩次訪問證嚴法師，隨手記下的語錄吧！

「這世間有很多無可奈何的事、無可奈何的時候，所以不要太理直氣壯，要理直氣和。做大事的人有時不免要求人，但更要自己的尊嚴。」

「未來的是妄想，過去的是雜念，要保護此時此刻的愛心，謹守自己的本分；不要小看自己，因爲人有無限的可

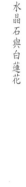

能。」

「人心亂，佛法就亂；所以要弘揚佛法，人心要定，求法的心要堅強。」

「慈濟在病人的眼裡就是活佛，護士就是白衣大士、是觀世音菩薩，所以慈濟是大菩薩修行的道場。」

「這世界總有比我們悲慘的人，能爲別人服務比被服務的人有福。」

「現代世界，名醫很多，良醫難求。我們希望來創造良醫，用宗教精神啓發良知，以醫療技術來開發良能，這就能創造良醫。」

「我一開始創造慈濟的時候是救窮，心想一定要很快消滅貧窮，想不到愈救愈多。後來發現許多窮是因病而起，要救窮就要先救病，因此才蓋醫院。所以要去實踐，才知道眾生需要的是什麼。」

「不要把陰影覆在心裡，要散發光和熱，生命才有意義。」

「菩薩精神永遠融入眾生的精神，要讓菩薩精神永遠存在這個世界，不能只有理論，也要有實質的表現。慈悲與願力是理論，慈濟的工作是實質的表達，我們希望把無形的慈悲化爲堅固、永遠的工作。」

「一個人在絕境時還能有感恩的心是很難得的，不過，一個永保感恩心付出的人，比較不會陷入絕境。」

「一分菩提心，造就一朵芳香的蓮花。」

「當我決心要創建一座大醫院時，一無所有。別人都告訴我那是不可能的，但我有的只是像地藏菩薩的心，這九個字給我很大的力量：我不入地獄，誰入地獄？」

「我得過幾次大病，瀕臨死亡。我早就覺悟到人的生命不會長久，但每次總是想：如果我突然離開這世界，那麼多孤苦無依的人怎麼辦？」

……

這都是隨手記下來的師父說的話，很像海浪中湧上來的水晶石，粒粒晶瑩剔透，令人感動。

師父的實踐精神不只表達在慈濟功德會這樣大的機構，也落實在生活的每一個細節。他們自己種菜、自己製造蠟燭、自己磨豆粉，「靜思精舍」一直到現在都還保有這種實踐的精神。甚至這幢美麗素樸的建築也是師父自己設計的，連屋上的水泥瓦都是來自他的慧心。

師父告訴我從前在小屋中修行，夜裡對著燭光讀經，曾從一支蠟燭得到開悟，他悟到了：

「一支蠟燭如果沒有心就不能燃燒，即使有心，也要點燃才有意義。點燃了的蠟燭會有淚，但總比沒有燃燒的好。」

他悟到了：「一滴燭淚一旦落下來，立刻就被一層凝結的薄膜止住。因爲天地間自有一種撫慰的力量，這種力量叫『膚』」。

爲了證驗這種力量，他曾在左臂上燃香供佛。當皮被燒破的那一刹那，立即有一陣清涼覆蓋在傷口上，即是「膚」。臺灣話裡，孩子受傷，媽媽會說：「來！媽媽膚膚！」這種力量是充盈在天地之間的。

他悟到了：「生死之痛，其實就像一滴燭淚落下；就像受

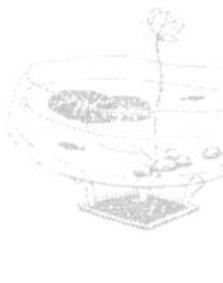

傷了，突然被膚。」

他悟到了：「這世界無時無刻不在對我們說法，這種說法常是無聲的，有時卻比有聲更深刻。」

師父由一支蠟燭悟到的「燭光三昧」，想必對他後來的行事有影響。他說很喜歡燭光的感覺，於是自己設計蠟燭、自己製造，並以蠟燭和人結緣。從花蓮回來的時候，師父送我五個「靜思精舍」做的蠟燭。

回臺北後，我把蠟燭拿來供佛，發現這以沉香爲心的蠟燭可以燒十個小時之久。而且燒完後不流一滴淚，了無痕跡。原來蠟燭包覆著一層極薄且透明的膜，那就是師父告訴我的「膚」吧！我站在燒完的燭台前斂容肅立，有一種無比崇仰的感覺，就像一朵白蓮花從心裡一瓣一瓣的伸展開來。

證嚴法師的慈濟志業，三十幾萬投身於慈濟的現代菩薩，他們像蠟燭一樣燃燒、散發光熱，但不滴落一滴憂傷的淚，他們有的是歡欣的菩薩行。

他們在這空氣污染、混亂濁劣的世間，像一陣廣大清涼的和風，希望凡是受傷的、跌倒的、挫敗的眾生，都能立刻得到「膚膚」，然後長出新的皮肉。

他們以大悲心爲油、以大願爲炷、以大智爲光，要燒盡生命的黑暗，使兩千萬人都成爲菩薩，使我們住的地方成爲淨土。

慈悲眞是一種最大力呀！

我把從花蓮帶回來的水晶石也拿來供佛，覺得好像有了慈濟，花蓮的一切都可以做爲天地的供養。連「花蓮」這兩個字也可以供養，這兩個字正好是「妙法蓮花」的縮寫，寫的是一則千手千眼的現代傳奇，是今日世界的「觀世音菩薩普門品」！

（節錄自民國78年5月5日聯合報副刊）

附錄二　水晶石與白蓮花

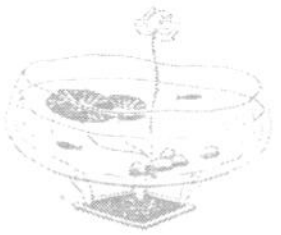

《附錄三》山來照山・水來照水
——〈證嚴法師的故事〉

彭樹君

一粒種子落在土裡，經過數十年風霜雨露的摧折和潤澤，終會長成一株大樹。然而儘管它的枝葉再茂密，椏條再延伸，它所覆蓋的綠蔭依然有限。

可是，樹木的數量若能無限增加，福蔭的範疇也將無限綿延，終將成爲一座無盡的森林，讓所有身歷火宅、心陷懸崖的人，都能分得一缽菩提的清涼。

證嚴法師，就是那撒種子的人。

身無掛礙　一切隨緣

那是五十多年前了。

伊生於臺中縣清水鎮，出生不久即承嗣給叔父，後隨父母移居到豐原。伊俗名錦雲。

錦雲從小即愛耽於沉思，人生從何處來？人死往哪裡去？伊想，在生與死之間，人又是爲了什麼而活著呢？

十五歲時，伊的母親罹患胃穿孔，需要開刀。在當時，開刀是很危險的。錦雲侍母至孝，小小年紀即發願爲母親消災，向觀世音菩薩祝禱：

「菩薩啊！請聽我說，母親若能病好，錦雲情願減少自己十二年的壽命！」

也許是她的孝心果眞感動了天地吧！後來母親的病竟奇蹟似的好了起來，錦雲心存感謝，開始茹素。但當時她對佛法並沒有穎悟，只是出於一片純孝而已。

五年之後，晴天霹靂一般，伊的父親因腦溢血突然撒手西歸。錦雲悲慟至深，隱隱覺得人力與天力果眞是一場勝負懸殊的拔河。伊想，人命何其單薄，因緣何等無常啊！

伊開始渴望投身到天涯海角，去尋求皈依之處，去追蹤人生的源頭與盡頭，去探看一切無常的謎底。

二十四歲那年，夏秋之交，伊經過某寺附近的稻田，看見兩位尼師在割稻，因平素原已相熟，就加入他們的行列。稻浪洶湧，在風中飄搖爲一句偈語，說給伊聽。伊割著割著，頓時心有領會，豁然開朗，剎那間萬般喜悅，彷彿一切天機盡在胸罊。暮色已降，割稻的活兒告一段落，是告別的時候了。其中一位年輕尼師突然問伊：

「妳想不想跟我們走？」

對這個天外飛來的問題，伊絲毫不驚，因爲其實早已決定。「好，現在就走吧！」

另一位年長些的尼師將伊纖瘦的手合在自己掌中，目光灼灼，直望入伊的內心深處，問：

「身無掛礙嗎？」

伊點頭說：「身無掛礙。」

在車站，尼師又問：「北上？還是南下？」

「哪裡的火車先來就往哪裡去，一切隨緣。」伊安詳回答，決定了自己此後前行的路途，心中湧起泉水奔流的聲音。

火車的方向決定了答案，伊如一朵蒲公英，隨風飄落於鹿野。

民國五十年的鹿野，落後而荒涼！村裡的山坡上有間簡陋的王母廟，年久失修，四壁蕭條，隱在野地叢林間，乏人問津。伊卻隨遇而安，落足於此，從此掛單苦修。

鹿野村村民清苦，伊堅持不受村民供養，只是上山摘野菜生果煮水療飢，或下山撿拾農家田間殘留的花生蕃薯藉以果腹。這般原始生民的苦修梵行，伊卻有甘之如飴的喜樂心情，彷彿一切都落實了。

伊是自己剃度的，而不是師父爲伊剃度。佛門規矩，若是沒有剃度師，便不得受戒。伊卻也不急，反正一切隨緣。冥冥之中果然有巧妙安排，在一連串機緣下，伊得見佛教界最爲人敬重的印順長老。伊當下即認定印老就是自己的師父，要求拜他爲師。一向很少收徒弟的印老，看著眼前這個自己落髮的單薄女孩兒，心生歡喜，竟然應允，爲伊取法名——證嚴。

「我們因緣很特別，我就收你爲徒吧！既然出了家，就要時時刻刻心懷佛教、心懷眾生啊！」

伊將師父這句簡單的叮嚀別在僧衣的襟上，從此走入佛門，心懷眾生，此去無悔。

千手千眼　救苦救難

伊正式出家，移單至花蓮。因講經的緣故，結識了許多信佛弟子，遂一起結伴修行。他們的日子很苦，所居僅得遮風擋雨，所食亦僅能稍稍果腹，但伊仍堅持不受供養，因爲眾生更苦。

伊帶領弟子度日，潛心禮佛，一不趕經懺，二不做法會，三不化緣。他們自力更生，到工廠拿原料回來加工打毛衣，把水泥袋改裝成小型紙袋當作飼料袋，以種種堅苦的方式維持基本的生活，掙得簡單的溫飽。

伊吮吸了浩瀚佛經典籍的甘露，之於自己的個人修行以臻上乘。然而這並不夠，伊想，心懷眾生，應有另一番方式。

民國五十五年，一位信徒因胃出血入院，伊走了長路去探望。當時東部醫療設備落後，人民生活清貧，生病得不到良好的照顧；伊親見醫院裡的呻吟病患，心生不忍，當下發願要爲東部千萬同胞奉獻一切，解決社會的貧病問題。伊想，佛教的宗旨不只是在求一己生命的解脫，如何本慈悲之懷造福一切眾生，才是主要精神之所在。

當伊從醫院出來，看見門口水泥地上有一灘血，然而人們來來往往，漠不關心。伊訝異地問：「地上怎會有一灘血呢？」

在伊探聽之下，有人說：

「是一個山胞婦人小產了。她的家人走了八小時的路將她抬來醫院，到這裡早已昏死過去，可是醫生說要先繳八千元醫療保證金才肯爲她動手術。山地人沒錢，醫院也不願冒險，只好又將那位婦人抬回去了。」

伊跌坐椅子上，一陣暈眩。「人與人之間竟然如此冷酷！」回去的路上，伊含淚默想，人間不夠的，伊來做吧！但自己的力量有限，如何去做？伊一介貧尼，以什麼來幫助窮苦無告的人們？

不久，花蓮有三位修女來到伊簡陋的淨舍，就彼此的教義交換心得。修女原是要向伊傳教，最後卻折服於伊的堅定信仰，了解佛陀慈悲，一如天主的博愛般值得崇敬。但是，「佛教對社會缺乏具體表現，佛教徒似乎只求獨善其身，而較少顧及兼善天下。不然，爲什麼在基督教蓋學校、設醫院的同時，卻很少看到佛教徒有所行動，對社會有所助益呢？」

修女這一席話，給伊極大的啓悟。是啊！伊想，佛家說千手千眼觀世音、救苦救難觀世音，是要世人學習佛陀的慈悲：千眼是到處觀察，千手是任何事都做，只要眾生需要。可是佛教徒做好事向來不欲人知，各做各的，潛藏的善願雖深厚，卻因淡泊的觀念而無法彰顯。若能集合眾人的善心與力量來濟貧救難，那麼像那位山地婦人的悲劇將可減到最低。滿腹的善願未求實現，好比私藏甘泉，白白讓眾生焦渴，不是罪過嗎？

「佛說地獄不空，誓不成佛，我獨善其身又有何用？」

伊動心一念，埋下了「慈濟功德會」的嫩芽。

千里之路　始於初步

千里之路，始於初步。凡夫在千里之路的起步，而佛在千里之路的終點；在起步與終點之間的這段距離，就是菩薩道。伊說，人與菩薩之間並無界限，只要把凡夫的人格往菩薩的境界提升，每個人都能成爲菩薩；而菩薩慈悲，當濟世救人。

要救人，自然也得考慮經濟上的力量。

伊如此算計著：寺裡的六人做嬰兒鞋，每人一天增產一雙，每雙可得臺幣四元，六人一天可多賺二十四元，一個月有七百二十元，一年即可多出八千六百四十元。有了這筆錢，就可拯救像那位山胞婦人同樣陷溺於悲苦的人一命了。

伊又親手從寺後竹林中鋸下三十個竹筒，發給三十個愛戴伊的信眾，她們都是純樸的家庭主婦。伊要求她們每天買菜之前，先投五毛錢到竹筒裡去，這樣每個月就可省下十五元，一年之後盈餘也就很可觀了。

「爲什麼要每天攢五毛錢呢？」信眾們覺得不解：「我們一個月繳二十元不是比較簡單嗎？」

「不一樣的。」伊搖頭說：「一個月繳一次錢，一個月才發一次善心。每天存五毛錢，錢雖微薄，可貴的卻是日日存有那顆救人愛人的心。」

隨著「五毛錢也可以救人」的說法口耳相傳，這件事在花蓮各菜市場很快的傳揚開來。許多家庭主婦跟著響應，參與的人越來越多，終於蔚成一股風氣。於是在五十五年三月二十四日，「慈濟功德會」正式成立，一群手挽菜籃的主婦，寫下了慈濟歷史的首頁。而伊的心願，亦總算根苗初具。

從那天起，慈濟救助的工作就無休無歇地展開了，二十四年來，沒有間斷過一天。

第一個領受慈濟恩澤的，是一位由大陸來臺、孤苦無依的老太太。慈濟主動找上她，爲她送飯、打理一切；老太太病了，慈濟將她送醫照顧；老太太西歸，慈濟替她誦經、安葬……。類似的救濟工作普及展開，在法師堅定的信念感召之下，慈濟會員迅速增加，一日比一日更福澤綿長。

這些可敬的慈濟人，他們主動去發現需要救助的人們，主動伸出援手，需要照顧的就照顧，需要用錢的就布施。二十四年來，領受過慈濟德慧的眾生不知凡幾？許多人存這分感念之心，也自願加入慈濟，再去幫助比他們更窮更苦的人——慈濟與愛的力量如海潮，向四面八方洶湧而去。到今天，慈濟的會員已增加了一萬倍，由當初的三十人到現在的三十萬餘眾；由原先的家庭主婦到如今的社會賢達，終於成爲遠近聞名的慈善事業。

今日慈濟的泱泱規模，不是法師伊行神蹟，而是伊那分悲憫胸懷感化蒼生，所以聚沙成塔。如伊所言：

「發多大的心即有多大的力，發多大的願即有多大的福。」

「佛心即是人心，人心即是佛心。」

知緣惜緣　再造福緣

本身是一所建設公司的董事長，擁有億萬財產的何先生，工作繁忙之餘，卻甘心利用僅有的假日，奔走於臺北花蓮之間，做慈濟的自願志工。

「臺灣太有錢了，但財富給了我們什麼？打開報紙，不是大家樂就是六合彩，不是綁票就是搶劫，功利主義造成社會風氣的敗壞，只見一片紙醉金迷。目睹這等情況，有心但灰心的人很多。孔子說：道不行，乘桴浮於海。但走了又怎樣？臺灣的問題仍然存在，這是我們的家，你能丟掉它不管嗎？但是怎麼做呢？」面對社會的百病叢生，何先生有隻手難起沉疴的沉痛心情，直到他與慈濟結緣。

「但是我發現了一線曙光，那就是證嚴法師所領導的慈濟功德會，師父的濟貧工作是那麼紮實的嘉惠於民。有人說師父是佛教的革命家，但師父說他只是復古，佛陀時代的教法原本就是落實在生活中。中國佛教一直讓人覺得太艱深，但師父說：佛教人間化，佛法不是高不可攀。啓發良知、發揮良能，人人都可以做菩薩。」

何先生的質樸善心委實難得，在日理萬機的事業經營下，還躬身力行為慈濟奉獻。但何先生並不覺自己值得褒揚，他認為自己只是做分內應做的事，而慈濟的每個會員都是像他一樣的想法，其中不乏位高權重的政府首長或家財萬貫的企業鉅子。

「該感謝的是師父！他不僅救貧，同時也教富，是他老人家的慈悲，才讓我們這些人有福田可耕。」

一位慈濟的師姊說：「師父的擔子這麼重，每一點力量都是慈濟不可缺少的。如果今天我在路上跌倒抓到一把沙，也要帶回慈濟給師父。因爲任何一點力量，在慈濟都會發揮最大的效果。」

慈濟的影響力無遠弗屆，每年所收到的捐款已以億計算。但每一筆捐款，從幾塊錢到幾千萬元，都條列得仔仔細細，決無分毫閃失。這般公正誠信，確實感動了無數心存善念的人們紛紛解囊，共造慈濟福業。以去年來說，臺北市政府所發出的救濟款項總數是三千餘萬元，而慈濟單是救濟一項，就付出了二億四千多萬元。凡攜手並肩，共同耕耘這方福田者，莫不知緣惜緣，再造福緣。

今天的慈濟雖已是全省影響力最大的慈善事業，可是法師和伊身邊的弟子們，依舊堅持「一日不作，一日不食」的原則。他們在「靜思精舍」旁邊闢了菜圃，清晨四時就起床課誦、耕作，每天以簡單的手工勞動做豆粉做陶瓷，維持自力更生的生活，二十餘年如一日，不曾改變。

入世擔當　嶙峋風骨

民國六十八年，慈濟功德會成立的第十三年，法師在長期的心勞力瘁下，罹患了心絞痛，隨時都可能猝然死亡。伊覺得擔憂。

伊倒不是掛懷自己個人的生死，這些伊早就不放在心上。伊憂的是，功德會雖是福澤廣被，但這種工作若要長久，光靠出家弟子的勞心攢聚和在家居士的捐獻是不夠的；這彷彿是沒有源頭的水，終有一天會枯竭。伊想，必須爲慈濟找一處源頭活水。

於是，伊決定辦一所醫院。

在此之前，東部缺少一所完善的醫院，東部同胞若有重病，因當地醫療單位設備不足，只有往臺北送；但許多人都因爲時間耽擱，使病情惡化而回天乏術。

就在這年，「佛教慈濟綜合醫院」的藍圖成形了，隨即展開一條苦樂參半的迢遙路。募款工作的艱辛自不待言，但經過六年的朝暮奔走，終於獲得社會各階層的支持，於七十三年二月五日，由當時的省主席李登輝先生主持破土典禮。醫院的總工程費約八億，可是這時募得的款項只有三千萬元。登輝先生知道這種情形，憂慮問伊：

「沒問題嗎？」

「沒問題！」法師堅定的回答，心中充滿對明日的希望與對人們的信心。

藉破土之緣，登輝先生親臨慈濟本會——靜思精舍，參訪並用膳，正逢慈濟委員爲全省貧戶準備冬令賑濟品。登輝先生目睹慈濟爲每一戶每一口的貧胞，細心的準備了衣、食用品，並依地區戶別分別裝袋、裝箱，再由貨運分送各地，由當地委員將一份份年節用品轉送到貧戶手中。登輝先生不禁讚歎：

「政府做的社會工作，還不及你們周全啊！」

當晚，身爲基督徒的登輝先生捐出了新臺幣三萬元，並滿心歡喜地表示：「從今天起，我也是慈濟的會員了。」

八億元終究不是個小數目，工程中時有因募款困難而面臨停工之虞，但都在千難萬險中撐過來了。起初在籌建經費仍一無著落的時候，曾有一位日本人願意捐出兩億美金給慈濟。在當時，兩億美金相當臺幣八十億，眞是一筆令人眼花的大數目！慈濟信眾聽到這個消息莫不欣喜，可是法師卻不爲所動，淡淡的說：

「我們不能接受。」

伊自有道理，緩緩道來：

「爲救眾生而蓋醫院，眞正可貴的是每個人發願付出那顆心，涓涓滴滴除了將錢聚少成多，更可貴的是同時也匯聚了千萬顆誠意可感的慈心。若憑空獲得這兩億美金，我們如何體會聚沙成塔那種力量？又如何體會自己做主人的踏實感？蓋一所醫院救助自己的同胞是我們分內的責任，難道還要外國人來幫我們做嗎？」

在伊那瘦削卻莊嚴的肩頭上，實有一分氣魄非凡的入世擔當與不卑不亢的嶙峋風骨。

無緣大慈　同體大悲

排除萬難，七十五年八月十七日，「佛教慈濟綜合醫院」終於落成，在原來一片荒煙蔓草間巍峨矗立，美麗而莊嚴。凡瞻仰過它的風采者，莫不驚歎：

「這麼堅實浩大的工程，眞是功德無量啊！」

法師深知貧與病是不分的，所以慈濟醫院秉持佛陀對眾生平等的慈愛而設，自然成爲苦難心靈投靠的明燈。

兩年多來，關於這所醫院的故事說也說不完，許多不可能的事，都在這裡發生了。

它首開不收保證金的制度，讓急病患者一入醫院，不論有錢沒錢，都能得到迅速的處理與治療。它不但改變了臺灣醫療界的舊制度和惡習慣，也改變了一般人對醫生的冷漠印象——爲了無法治癒一個患者的絕症，一位慈濟醫師竟然下跪向這位病患致歉。

它讓醫生、護士和病人，甚至是來慈濟志願打雜的志工親如家人，實難找到一所醫院像它一樣，充滿那麼多善意的微笑與親切的關懷。醫院本是匯聚一切生老病死的苦難集中地，但在這裡，卻只覺得如沐春風，平和恬靜。

它的醫療技術進步神速，許多赫赫有名的醫生，自願放棄

大城市的繁華來此工作，有人甚至要求與慈濟簽約至民國一百零七年。民國七十七年臺大醫學院的實習生，更多以慈濟為實習的第一志願。

這一連串的事實並非神蹟，而是被慈濟醫院這所濟世慈航的精神所感化。在這裡，醫生都懷抱了救人的熱忱，不當名醫，寧為良醫；在這裡，病人都放心的把自己交給醫生。是那分相互信賴扶持的誠意，是法師「無緣大慈，同體大悲」的心念，讓這所新生的綜合醫院，成為東臺灣最動人的現代傳奇。

前臺大醫院兩位副院長杜詩綿（編註：杜先生為首任慈濟醫院院長，已於七十八年七月初因肝癌過世）、曾文賓（現任慈濟醫院院長，已於八十八年退休），從建院籌備之初至最後醫院落成，都全心參與投入。因此，臺大醫院與慈濟醫院一開始就以交換醫生的方式做定期交流，來提升醫療的最新水平，一方面使醫護人員不虞匱乏，再者醫療作業也能隨著科技進步，日益發揮高度效率，使得慈濟醫院能站在東部醫療的第一線，與西部各大醫院平分秋色。

法師認爲「八苦之中，病苦最苦；八福田中，看病第一」，所以窮苦的人在這裡能得到細心而免費的醫療。有時病人偷偷跑了，醫生還會追到病人家裡去——不是爲追討醫療費，而是苦勸病人回醫院徹底把病治好。

對於醫生們的飲食起居，法師無不關懷備至；至於對病人們的病況，伊亦是歷歷在心。每日，伊都要親自巡迴病房，一切都好，伊才能安心。說起比較特殊的病例，伊眉目之間溢滿了母親的關切與疼愛：

「他好會唱歌。」伊指的是一位十七歲的山地少年，因搬運大理石的車翻覆，下半身全被砸爛，只好自腰部以下切除。醫生都說無望了，伊說一定要救，醫院終於盡一切力量把少年救活了。「眞可愛啊！他坐著輪椅在每間病房進進出出，還笑瞇瞇的對其他病人說：怕什麼，我這樣都活得好好的。」

動心臟或腦部手術，慈濟都做出了名堂。除了醫生的醫術高超和病人的信心使然之外，背後最主要的潛因應是那分信仰的力量吧！

不知從什麼時候起，常常在黃昏，醫院裡的護士、醫生和病人，就習慣性的聚集在走廊與樓梯間，也不拘是誰撥第一道吉他的弦音，是誰起第一縷唇間的歌聲，大家就親愛而虔誠地唱起歌來。那美麗而安詳的歌聲不絕如縷，穿透了慈濟的窗口，迴蕩在慈濟各角落，彷彿在爲這個世界的美善做見證，告訴你：人間依然有愛。

經者道也　道者路也

一介貧尼，隻手撐起這片慈濟福業，伊秉持佛陀的慈悲，投入青春年華與滔滔歲月，集千萬鈞於一肩，荷人生苦於一身，表現了大乘佛教高尚的人道主義精神。

慈濟醫院的非凡成就只是初步，還有興建中的慈濟紀念堂（靜思堂），醫院第二期的擴院工程，今年秋天就要開學的慈濟護專，正待破土的慈濟醫學院，建地已覓得的慈濟大學……都在慈濟的計畫中，不久之後即將一一實現。美麗的花蓮，將成爲東臺灣慈善、醫療、教育與文化的重鎮。

不可能的，都已一一成爲可能。一顆偉大的心靈來自深慈大願，成就了不平凡的功德；出家非將相所能爲，出家人肩負入世擔當，更是不容易。正如伊常說的：「經者，道也；道者，路也。」經是給人實行的而不是給人念的，我們要行經，而不光是口頭上念經啊！

新聞界名人高先生，因受法師精神感召而辭去某報社長一職，願爲慈濟做志工。他說：

「現在這個社會，講愛、講奉獻，提倡道德的人很多，但眞能實踐愛和道德並能貫徹如一的人又有多少？教訓別人很容易，自身踐履起來又如何？證嚴法師的例子卻讓我們看到，今天臺灣這個資本蓬勃發展、處處唯利是問的社會，除了錢，還有愛和人心善良的一面在發揮，還有人文良心在跳躍。」

「證嚴法師及慈濟醫院的出現，是臺灣富裕化之後的回饋現象。過去貧困，大家都很痛苦！七〇年代之後開始大轉化，經濟與教育都提升了，人們內心隱藏著的那股感激之情與惻隱之愛，被慈濟激發了出來，開始默默地回報社會；但公眾並不知道，這是臺灣無形的良心存底，其道義力量遠遠大過七百億外匯存底。而根本上，慈濟精神則與中國文化的命脈息息相關；大公無私、濟貧救弱既爲佛家所認同，也是中國人文主義兼善天下的數千年傳統。當然，社會制度的不周全，政治的不完美，人世間無可奈何的幽黯殘缺，也都間接培育了慈濟的志業。」

由一位平凡的比丘尼，兩袖清風的苦行僧，動員三教九流，從朝到野，蓋了一座耗資數億的現代化醫院，做了無數量濟世救人、濟貧教富的功德，無異是當代傳奇！回憶坎坷的來時路，慈濟人只有一句——

「今日的慈濟，將成爲明天的歷史！」

伊的慈顏如明鏡，山來照山，水來照水，拭淨了天地的眉目，也讓許多蒙塵或苦難的人心得見曙光，一一映照其他更多的人。伊的慈悲孕育了慈濟，而慈濟不正是理想國的雛型嗎？

在臺灣東部，山明水秀的花蓮，你站著，只覺得千江有水千江月，萬里無雲萬里天，而自山水間隱隱傳來這句話：

「福田一方邀天下善士，心蓮萬蕊造慈濟事業。」

（轉載自七十八年五月十六日、十七日「自由時報」副刊）

國家圖書館出版品預行編目資料

靜思語／釋證嚴著. --再版. --臺北市；慈濟文化
，1999[民88]
冊； 公分

ISBN 957-8300-43-3（第一集：平裝）
ISBN 957-8300-44-1（第二集：平裝）

1.佛教--語錄

225.4　　88017294

靜思語（一）

著作者　釋證嚴

編　輯　1989年 高信疆(主編)、何國慶、柯元馨、洪素貞
1999年 靜思書齋

內頁插畫　潘勁瑞

美術設計　色相聲劇工作室

出版者　慈濟文化出版社
臺北市忠孝東路3段217巷7弄19號
電話:02-2898-9888

郵政劃撥　14786031　慈濟文化出版社

排版者　凱立國際印刷股份有限公司

印刷者　優文印刷有限公司

出版日　1999年12月　再版 1刷
2012年11月　再版326刷
行政院新聞局局版臺業字第4934號

定　價　200元

靜思人文
JING SI PUBLICATIONS
http:// www.jingsi.com.tw

ISBN : 957-8300-43-3
Printed in Taiwan